JN108801

私は昨日まで日本を愛していた

里中李生

イースト・プレス

序説 —

短く言いたい。

緊急事態だ、自粛要請だ、移動制限だとしておき、協力金は一部の業種だけ。

しかし、税金は期日ぴったりに徴収する国。

サラリーマンの方たちは天引きだからピンとこないかもしれないが、私を含め、フリーランスの人たちには各種税金、国民保険の納付書が秒速で届く。もはや、アマゾンプライム級のスピードで自宅のポストに投げ込まれている。安倍政権で一回だけ特別定額給付金十万円が配られたとき、同時に年金の納付書が届いたから、頭に来て納付を一時拒否した。

フリーランスを始め、多くの国民は生活が困窮している。税金を払わなければ、例えば車を差し押さえられることもある。だが、お金がないのに税金を払えと言う。これは独裁政治レベルの悪行だ。詳しくは後述するが、オーストラリアでは補助金を二週間ごとに十万円、それも六カ月間だ（基準を変更して期間延長）。

緊急事態だと言い、自粛しろと言い、移動するなと言い、五輪は決行。移動制限でどれくらいの人の仕事に支障をきたしたのか。もはや正気の沙汰ではなく、他国なら暴動が起きて当然だ。日本の国民は、国相手に訴訟を起こすべきだと思っている。水俣（みなまた）病のときのように。

私は少年時代から、そんなに長生きしないと思っていたが、まだ生きている。高校二年生の息子からも「お父さんの生命力、半端ないよ」と真顔で言われた。もしかすると、長生きしてしまうかもしれない。

だが、この国に住んでいるのには、正直、吐き気がする。友人のいるほかの国に移住したいのが本音だ。

日本の愛すべきものは、もはや、エンターテインメントと、富士山や沖縄の海などの一部残っている美しい大自然しかない。日本人女性が好きだったが、彼女たちもフェミニズムと資本主義社会に洗脳されて、お金の話ばかりになった。

本書は、昨日まで日本が大好きだった私が、日本を憎むようになった話と、これからの希望を探るため、皆と一緒に考える内容をつづった書である。

私は昨日まで日本を愛していた ── 目次

第一章 ── 行き詰まる、国

第二章

絶望的な、日本の民度

第三章

あなたたちは、幸せになれる

本書で扱う、新型コロナウイルスや東京オリンピックに関する事柄は、
特に明記のない限り、二〇二一年八月三一日時点のものです。

第一章

行き詰まる、国

苦しむ国民にお金を渡したくない国

給付金は一回。十万円

オーストラリアでは、新型コロナウイルス対策としてのロックダウンの最中、補助金を、なんと二週間に一度支給。一人につき約十万円（一五〇〇豪ドル）だ。

※Jobkeeper Paymentという補助金。新型コロナ禍で売り上げが三十パーセント以上減った、もしくは減る見込みの企業や自営業者に対して支払われた。従業員には会社を通して支給。二〇二〇年三月三〇日から九月二七日までの期間だったが、受給条件や受給額が変更され二〇二一年三月二八日まで延長された。

もちろん、国民全員にではなく、そこら辺はきちんとしている。二〇二〇年三月一日時点で最低十二カ月間雇用されており、定期的に働いていたことが条件。当たり前だが、無職の人（病気ではなくさぼっていた）と子供には支給しない。

条件に該当する成人四人の家族なら、隔週四十万円が支給されたことになる。だから国民は政府の言うことを聞き、自粛した。

デルタ株が出てくるまで、オーストラリアでは新型コロナの悪影響は少なく、全豪オープンテニスも無事に開催できた。選手の一人を隔離して騒がれたが、そこも徹底していたし、国民は納得。また、首相の「国民の命を守る」という言葉と、そのための税金投入が合致している。

一方、日本はどうか。

給付金は一回だけ。しかもたったの十万円。ほかにも持続型給付金や文化庁が芸術家を支援する補助金などがあるが、どれも審査が厳しく、手続きもややこしく、簡単にはもらえない。

私は二〇二〇年、YouTubeを頑張ってみようと思い、動画用のカメラが古かったから、文化庁に支援を申請した。芸術家やアーティストのための支援で、文化庁のホームページでも告知されている。

ところが、過去の講演活動のフライヤー（チラシ）のコピーを提出しろとか、活動費用の領収書を出せとか言われて、何ら進展しないまま期限切れになった。

撮影させてもらったモデルさんの住所が書かれた領収書なんか、情報漏洩（ろうえい）が得意な国に渡せるはずはない。チラシのコピーは「数が足りない」と言われたが、過去の講演のチラシなんか残っているはずもない。友人が「里中さんの講演やセミナーの実績なら、YouTubeを見たら一目瞭然じゃないですか」と苦笑していた。

ミュージックバーで定期的にセミナーをしていたが、そんなチラシは作っていない。だが、YouTubeにその様子は出ている。それではダメだと言うのだから、**「国はお金を渡したくないんだな」とわかった。**

ほとんどの人の収入が減っている

預金に余裕があるお金持ちや、新型コロナの影響をまったく受けなかった一部業種を除いて、国民のほとんどは収入が減ったのだ。**新型コロナの影響で解雇・雇い止め**

をされた人は十万人を突破している（二〇二一年四月厚生労働省発表）。経済は潤っているらしいが、それは株価が上がったからだ。庶民とは関係ない。

給付金を積極的に給付しないのは、お金がある人に渡さないため、ということらしい。しかし、お金に余裕がある道徳的な人間なら、受け取り拒否か寄付をするでしょう。有名芸能人が受け取り拒否したことを報道すれば、ほかの人たちも追随する。

もちろん、余裕のない芸能人や文化人もいるだろう。そうした人は受け取ればいい。「有名人が受け取りやがって」という非難もあるかもしれないが、ＳＮＳで何もない日常を毎日呟いているなら、「うちは余裕がない」と説明することくらいできるはずだ。私はそれが恥だとは思わない。

最近、いしだ壱成氏が鬱になり、一時的に生活保護を受けた。そのことを怒った人はほとんど見かけなかった。それと同じで、お金に困っている舞台俳優さんなどが返金しなくても、誰も怒らないと思う。

結局、政府の「国民にお金を渡したくない」という意思が見え見えで、なのに、「自粛しろ」と言う。「仕事を休め」とは言わないが、**自粛をしていたらできなくなる仕事はごまんとある。**

困っているのは、お客さんが来なくなった人たちなのだ。

私のセミナーや講演会、個人コンサルにしても、あからさまに新型コロナの影響を受ける。新型コロナが落ち着いていた二〇二〇年の夏頃はそうでもなかったが、冬からほとんどお客さんが来なくなった。四月に「東京に来ないで」と小池百合子（ゆりこ）都知事（以下、小池都知事）が口にしたら、パタッと問い合わせもなくなった。

私はなんとか執筆活動で生きているが、多くの読者や友人がサポートしてくれている。

ある友人に、「酒が苦手だから、ストレス解消はユンケルだけ」と言ったら、ユンケルの箱が届く。別の友人からは、先日甘酒が届いた。作りたての美味しい甘酒だ。元カノに甘酒が大好きな女性がいたから一本渡しに行ったら、満面の笑顔で、私にもプレゼントをくれた。ガス代の納付書だった（笑）。まあ、生活が苦しいということだ。

なぜ日本ではロックダウンできないのか

では、視点を変えよう。

新型コロナが襲来する前に、安倍政権は消費税を上げている。「医療、介護などの社会保障の財源が高齢化によって不足しているから」という言い分だった。

医療のための税金というなら、まさに新型コロナの対策に使われるべきではないか。

医療従事者に最大二十万円の慰労金を支払ったが、それも一回だけ。町医者など、睡眠を取る時間もないほど患者（新型コロナに感染したかもしれないとやってくる人たちや、鬱になった人たちを含め）の対応に追われ、疲労困憊（こんぱい）のはずだ。

それも悪循環というもので、一度、オーストラリアのように国を完全にロックダウンし、新型コロナを封鎖していればよかったのだ。そうすれば、医療機関に患者が押し寄せることもなかった。

日本では医療崩壊により、通常の健康診断、重症患者や救急患者の治療が行き届かなくなり、死亡者が出てしまう体（てい）たらく。

日本が崖っぷちでとどまっているのは、政治が愚かでも国民（民間企業）が頑張るのと、日本人が極端な清潔好きだからである。

皆もそれはわかっているはずだ。新型コロナが蔓延（まんえん）する前から除菌マニアがいっぱいいたし、トイレにはウォシュレットが付いている。

日本から発展途上国に行くと、成田空港から次の空港のトイレ、次のトイレと、だんだん劣化していくのがわかって面白いくらいだ。トイレットペーパーはなし。トイレから手が届かない位置に水道の蛇口があって、ホースが転がっていた国もあった。

しかし、それらの国でも、新型コロナでは強引にロックダウンをしている所がある。タイ、カンボジアなどは感染拡大を一時抑え込んだ。新党を潰されたタイでは暴動が起きているが、一応、新型コロナでは人の動きを止めている。器用な国だな（笑）。

一方、暴動はおろか、清潔感満点の日本では一向に新型コロナの封鎖ができない。

それはなぜか。

国にお金がない。

日本の国の借金は一二〇〇兆円を超える（二〇二〇年一二月時点。国債、借入金、政府短期証券を合計）。日銀が国債を引き受ければ済むことだが、インフレが怖いのと、実は法律によって禁じられている（財政法第5条）。

だが、政府には「札を刷れ」と言える権利がある（貨幣鋳造権）。この辺りが複雑なのは、政治家や官僚が動かないから素早く手続きができないのと一緒。政治家、日銀、彼らを悩ませる法律の三位一体で、前に進まないのだ。

政府と日銀との関係をわかりやすく言うと、カメラマンとモデルに似ている。ポートレートの著作権はカメラマンにあり、肖像権は被写体のモデルにある。これがトラブルの原因になるばかりなのだ。

人権に関わることやポルノ関連などの法律はどんどん改良していくが、それは国民にアピールしやすいからで、肝心なことは変えていない国だ。憲法など、一回も改憲してない国はなんと世界で日本だけ。骨董（こっとう）品レベルの憲法だ。

「日本は良い国」で終わらせるな

あなたたちに少し説教する。

新型コロナ禍が落ち着いたら、また「日本は最高の国だ」と言い出すでしょう。今までにもさまざまな大トラブルがあったのに、結局、「日本万歳」になってしまう。「天皇陛下万歳」はいいのだ。象徴天皇としてお静かにされている。皇族のご結婚の問題などは、マスメディアが騒いでいるだけだ。

阪神淡路大震災のときも、東日本大震災のときも、あの悪夢の民主党政権のときも、国民は「しまった」と嘆いた。津波の被害は、民主党政権が防波堤の建設を渋ったからでもあった。「里中、お前はバカか。あの津波だったら、堤防を造っても無駄だった」と思った人。お前がバカだ。堤防を高くしておけば、死者の人数は絶対に減らせた。堤防が津波に破壊されても、逃げる時間を稼げた。違うか。

その後、復興が遅れているのは、明らかに自民党政権の力のなさが原因だ。あんなときこそ、強権を発動させるべきだったのだ。「福島県に一五〇〇万円の家を建てたら、一〇〇〇万円プレゼントする」でもいいだろう。

しかし、しない。東京五輪は民主主義に逆らって強行するのに。

税金が実際どう使われているのかは、実は専門家でもわからない。それぞれの専門家が違う解釈をしているし、私もわからない。だが確実に、消費税も所得税もその他の税金も、無駄遣いをされている。

それは、新型コロナの給付金や支援金の各種手続きが難しいことでよくわかる。何度も何度も書類をやり取りしたり、そのやり直しをしたりしていることで、どれだけの税金を使っているのか、税理士ならよく知っている。

国は国債を出せる限り、潰れない。イタリアがピンチになったのはEUの債権だったからだ。潰れない国の中にいる公務員たちの怠慢で（頑張っている人たちもいます）、税金はどんどん無駄遣いされていく。国民に「会食するな」と頼んで、自分たちは会食三昧の政治家、官僚たち。

それを**新型コロナが去った後に忘却し、「日本は戦争がない良い国だなあ」と思わないでほしい。**

人の夢に優劣を付ける国

どの職業も命を懸けている

ある場所に岡本太郎氏の作品が飾ってある。その地域の人たちを批判する話になるから、場所は言わない。

それを岡本太郎氏の作品だと知っている人は、ほとんどいないという。その前に、見ている人もいない。

ある芸術家の友人が言った。

「義務教育の段階から芸術は軽視されている。親が特別に教えなければ、ゴッホくらいしか子供たちは知らない。ひまわりですよ」

東京ドームホテルのロビーフロアに、巨大な壁画がある。平山郁夫氏の作品だ。私は同ホテルに何十回も宿泊しているが、それをじっと鑑賞している客を数回しか見たことがない。私は高級ホテルなどに飾ってある絵画などは、必ず足を止めて観る。美術館に行かずに鑑賞できて幸せである。

さて、**東京五輪のために、一部の映画館が閉鎖される被害を受けた**。映画業界によるさかんな抗議で、二〇二一年六月にようやく緩和されたが、同時期に美術館もなぜか営業停止にされた。

一方、**スポーツ施設は一部制限はあったものの、基本的に閉鎖はされていない**。それはもちろん、スポーツを止めたら、「だったらオリンピックもダメでしょ」という批判があるからだ。その犠牲になったのが映画館など、まったく飛沫が飛ばない施設だった。

映画作品を創るために、役者さんたちがどれほどの稽古を重ね、ほかのスタッフも努力し、時間とお金を使っているのか、作品を観ればわかる。それよりも、「オリンピックに命を懸けている選手たちのほうが大事」という声もあって、強い憤りを感じた。命を懸けているのは、どんな職業も同じ。時間で言うなら、スポーツやエンタメよりももっとかかっている職人の仕事もある。

舞台俳優では実際に自殺している方もいる。それは、舞台が何度も中止になったことによる、たった一人の無名の役者さんの死だ。**それが何十、何百倍の「悲痛な叫び」となって、世間や政治家に届かないといけない**のに、新型コロナ対策に全力を尽くした政治家は、私が知る限りいない。

夢を失った人がどうなるか

芸能人のイベントやライブ、舞台は、「ネットでのオンライン配信」が中心になっている。私にも好きな女優さんやアイドルがいる。男の芸能人の友人もいる。少しでも彼らの助けになるように、配信チケットを買って観ている。

しかし、小池都知事は、「芸能人の人たちは、それで頑張って」と思っているのだろうか。

ファンは、「生」「リアル」を求めているのだ。配信ではテレビを見ているのと同じ。これには限界がある。配信に価値が上がらないからだ。

わかるだろうか。配信やオンラインイベントが定着し、配信チケットを買った人には特別なプレゼントがあるというようなことになれば、その価値は上がってくる。だが、「新型コロナがなくなれば、またリアルで観られる」と思うファンたちは、配信に疲れてきている。ネット配信のほとんどがテレビの大画面でも視聴できるが、会場に行きたいのがファンの本音だと思う。

「東京に来るな」と言い放った小池都知事が、**「芸能人は配信で頑張る」と思っていたら、そんな軽視、「上から目線」はない。**それほど有名でない人が毎回舞台を配信でやっていれば、そのうち、チケットを買ってくれる人は友人しかいなくなると思う。

その結果、厳しい稽古の努力が無駄になり、赤字になり、責任者が自殺。または夢を捨てて転職になるが、長く役者をやっていたら、就職先も限られてくるだろう。**それらに耐えられる精神力は、夢を失った人にはない。**

飲食店ばかりに援助をしている国と都は、それがわかっていない。

小池都知事はまた飲食店に支援をし、「やってますよ」アピールに徹している。最初の緊急事態宣言から一年以上、何をしていたのかわからないくらいに学習能力がなく、小学生からやり直さないといけないレベルだが、政府も似たようなものだから、彼女だけを責めるのは良くないだろう。

私の息子は、高校で射撃部に入っている。部活動は半分くらいしかできず、本来参加するはずの海外での大会にも行けていない。私が、「射撃場で練習しようか」と関東の射撃場を探していたら、なんとそれらが新型コロナの影響で閉まっているのだ(五輪に合わせて再開した)。

今の学生たちは、将来「コロナ世代」と言われるようになる。 彼ら彼女らはこの恨みを一生忘れることはないと思う。私も部活動ができない息子の心のケアをしている。息子に何かあったら、日本を一生、憎む。

私たちにも夢がある

東京五輪を目指してきたアスリートの方たちが、「東京オリンピックは中止してほしい」と言えなかったのは、何かの圧力でも掛かっていたのですか。アスリートの夢だったのでしょう。

私たちにも夢はあった。それは、決してアスリートにとっての五輪以下ではない。**私たちの生活、仕事、恋愛も何もかも、夢と共に動いている。**

もし、五輪のメダルを取ることが、ほかの人たちの夢よりも立派で優遇されるなら、逆にスポーツマンシップに激しく反している。五輪なら、平和、平等の理念に激しく反する。アスリートたちが夢を追うのも、社会人になったばかり人のたちが成功を夢見るのも、恋愛好きな女子が素敵な幸せを手に入れる夢も、平等だ。

中には、長い年月努力をし、これから勝負する人もいるし、ずっと大切にしてきた大事なものを守っている人もいる。努力に努力を重ねて。

新型コロナとは別に、寿命を気にしている人も、仕事の限界を感じている人たちも、最後の勝負に出ようとしていた。**それも五輪のために我慢して、その人たちは人生を終えるのですか**。

五輪が偉いのなら、「平和の祭典」ではなく、これでは「差別の祭典」だ。または上級階級、「私たちは高尚、賢人」な人たちの祭典だ。

ふざけるな。私が痛み止めを飲めない体で、なのに手術などをして、どれだけの苦労に耐えながら仕事や夢に挑んでいるか。何十年もだ。病気の原因はストレスによるものが大きい。五輪優遇で、私の夢、仕事を一日でも止められたら、寿命に響くのだ。

高校野球は、新型コロナの影響で大会への参加を辞退する学校が続出。少年たちの夢を根こそぎ奪いながら、五輪は、新型コロナ陽性者が選手団にいても試合をする。五輪選手は王様待遇。

五輪は国家の戦争。勝ち負け関係なく、決行するのだ。

「今年、東京オリンピックを辞退したら、二度と日本でオリンピックができなくなる」

五輪開催派が言っていた。

何年後の話をしているのだろうか。その頃の日本はもう後進国になっていて、瀕死の状態。五輪開催地に立候補する元気もないはず、と私は苦笑した。平和ボケ、楽観主義もここまで来ると、「想像力の欠如（けつじょ）」「ただの無知性」と笑うしかない。

しかも利権まみれの五輪がそんなに好きなんて、同類の人間なんだなと思わずにいられない。私は昔からスポーツは好きだが、五輪は嫌いだった。自然破壊の限りを尽くしている。発展途上国の発展のためインフラを整えることで、森林伐採、動物を殺すことに躊躇がない。今では、国民のほとんどが五輪を憎んでいるじゃないか。最初から、私と同じく自然を大切にする人たちだったらよかったのだ。

皆さんが嫌いになることや厭きることの大半を、私は五年から二十年先駆けて言っている。私は、後に紹介するオスカー・ワイルドのような男。拝金主義、差別主義のあなたたちは凡庸（ぼんよう）だ。

人種差別レベルの優劣の差

とにかく、人間というのは何にでも優劣を付けたがる、どうにもならないバカだ。

「オリンピックは偉い」というのは、錯覚し過ぎているほどの大間違いで、あれはあらゆる世界の諸悪の根源の一つだ。

五輪など不要。個別の世界大会だけでいい。

IOCなんか「世の中、金」と言っているような組織だし、東京で五輪を開催したかったのも、組織のトップらが「おもてなし」を都内超高級ホテルで受けたいからだ。

そこから出なければ、新型コロナにも感染しないということだ。

一泊数百万円のスイートらしいが、三食昼寝付きで、そちらもお金がかかるのだろう。税金だ。小池都知事の自腹ならいいのだが、都民の税金である。足りない分は国民の税金を使うが、その金を困窮している医療に回すことはない。

日本とはそういう冷酷な国で、さすが、インパール作戦や特攻隊を生んだ国としか言えない。このことは次項でも触れる。

私は愛国者だが、終戦間近で敗戦濃厚の中、犠牲になった人たちのことを考えると、本当に心が痛む。

昔、日本テレビが、樺太（からふと）で亡くなった真岡（もおか）郵便局の女子たちの実話を元にした二時間ドラマを放送した。ＤＶＤが発売され、今も持っている。私の息子に初めて観せた「娯楽」ではない映画とも言える。テレビドラマだが映画みたいなものだ。

当時中一の息子に「これを見て感想文を書け」と言ったものだ。

悲惨な史実を描いた戦争の映画がエンタメかどうかはともかく、例えば『シンドラーのリスト』や『カサブランカ』『イミテーション・ゲーム』『ホテル・ルワンダ』などの名作が、五輪に劣るのだろうか。

平等だと思う。

いや、利権のどん底にあるような五輪など、人類のガンでしかない。アスリートを目指している優秀な少年少女たちには、別の高尚な舞台を与えないといけない。極力、利権が絡まないスポーツ大会が必要である。スポーツのその戦い、競争も観る人たちを魅了する。

数あるスポーツ大会の中で、五輪だけが特別偉いわけではない。しかし、IOC、都、政府は、日本国民の命よりも、五輪を取った。

他国では、「選手たちはどうぞ、行きなさい。帰国後、二週間隔離するから、自国に迷惑はない」という空気だ。大会後、オーストラリアでは選手の一部に対して二十八日間の隔離が義務付けられた。ところが日本では、他国からきた外国人を二週間隔離しないばかりか、五輪選手と関係者は野放しにする。

ここまで優劣の差を付けられたらもはや人種差別のレベルだが、リアルで国民が暴動を起こす前に、なんとか五輪を決行しようという意図が見え見えだった。

皆さん、エンタメ業界を助けてください。

バカな方策で国民を犠牲にする国

まるでインパール作戦

日本政府と小池都知事がやっていることは、「インパール作戦」と同じ。**もう、日本は負けている。新型コロナに。**

前項で少し触れたが、インパール作戦とは、第二次世界大戦終戦間際に、大本営の命令（主に牟田口(むたぐち)軍司令官）によって強行された作戦だ。武器も食料もほとんどない日本兵が、イギリス領のインパール攻略を目指し、死者は約三万人。

牟田口軍司令官は、精神論で作戦を指揮、決行した。武器も食料も体力もない。赤痢、マラリアに罹患した兵士たちはどんどん死んでいった。これがどれくらいバカだったかと言うと、静岡県から南アルプスを徒歩で渡り、途中で木曽川（きそがわ）や長良川（ながらがわ）を泳いで、北陸まで行ったようなもの。もちろん、ほとんど飲まず食わずで。

それを「できる。勝てる」と行かせたのが、当時の日本軍のトップたちだった。

現在に置き換えると、**新型コロナのワクチンの接種も行き渡っていない状態で五輪**。「すでにワクチン接種は進んでいる」と言われそうだが、今のワクチンは変異株に対応しているとは言い切れない。

すでに、新型コロナに罹（かか）っても病院に行けずに亡くなる方が出ている。また二次的な被害として、別の病気や事故で病院に入れず、亡くなった方もいる。

そんな状態なのに、「頑張れ、オリンピックだ」と言うなら、これはもう、インパール作戦と一緒だ。結局、日本のトップに立つ政治家たちは、そんな性質なのだ。自分の名誉、名声のため、外国に自慢するため、または勝つためには国民を犠牲にするのは、まったく問題ないということだ。

小池都知事には驚いた。言葉遊びばかりで、会見の中身はまったくない。疲れて入院したのは仕方ないとしても、退院してきたら都民に「陽性者は自宅で療養してほしい」と言うではないか。

私はどんなに嫌いな有名人でも、健康を損なったり、亡くなったりしたら文句を言わない。小池都知事の過労も心配したが、「騙された」と感じた。流行り言葉で言うと、「上流階級」の自分は過労で入院。下流の庶民は新型コロナに感染しても、「自宅を療養所にして」である。

丸川珠代（たまよ）氏（以下、丸川五輪相）も五輪相でありながら、「オリンピックの渋滞で遅刻しました」などと言う。「陽性の選手と関係者が選手村から出ることはありません」と言えば、翌日、出ていたのが発覚。「私、知りません」「私、新型コロナをどうすることもできません」「私、実はオリンピックとは無関係なんです」。私にはそういう態度に見える（そんなはずはありません）。

そして五輪の最中にラムダ株が入ってきたことを隠していた。「五輪と感染拡大は無関係」と言っていた自民党信者たち、反論できるか。五輪に手の平返しで熱狂した日本人、反論できるか。

五輪に反対しておいて手のひらを返したようにテレビで観戦する、などということを、私はしていない。一秒も五輪を見ていない。フジロック関係者が五輪批判をし、自分たちはライブイベントを決行というような矛盾、自分本位剥き出しの心の乱れも私にはない。主張と行動を一致させている。新型コロナのことであれば、何でも批判、賛成もできる権利を持っている。

小池都知事の場合、私も最初は、日本初の女性総理かなと思った。「里中は男尊女卑」とうるさいが、稲田朋美氏なら総理でもかまわないと思っていた時期もあるし、小渕恵三氏の娘が順調ならそれもいいと思っていた。優秀な政治家が総理になればいいのだ。

未曽有の災害なのだからある程度は政府がフォローしないといけないのに、菅義偉総理（以下、菅総理）も小池都知事も五輪のことしか頭にない。聖火リレーをしながら「東京に来ないで」。世界のお祭りを東京でやりながら、緊急事態宣言を各県に発動。ひょっとしたら、歴史の教科書に残る政治の失策になるかもしれない。

好きなことをできないまま亡くなる人もいる

それにしても、誰も叫んだり大人数で話したりしない映画観賞を狙うとは驚くばかりだ。

『るろうに剣心　最終章』は、前年の緊急事態宣言で公開を約十カ月も延期。政府と都を信じていたのに、公開したと思ったら今度は映画館が営業停止。あの快作、大人気作品を観たいファンは大勢いて、私もそうだった。今回は、初登場の有村架純さんが助演女優賞を百回渡したいくらいの唯一無二の名演で、「これを長い間放置していたのか。観る前に死ななくて良かった」と映画館で胸を撫で下ろした。

そう、中には、亡くなられた方もいると思う。楽しみにしていた映画を観る前に。

その映画が予定通り公開されていて、観る前に何かの病気で亡くなったのなら仕方ないが、政府や都から**「映画館には行くな」と命じられて、その間に病気や事故で亡くなっていたら、死んでも死に切れない**。

それくらい、映画が好きな人は多い。私は洋画中心に観ているが、邦画なら『マチネの終わりに』は、ある一カ所だけ飛ばして（笑）、何十回も観ているし、ほかに『スワロウテイル』、『蘇える金狼』（松田優作が主演のほう）、『カイジ2』とか、たまに部屋で観る。

命も含め、**われわれは今後も五輪の犠牲になりたくない**。

五輪が人々の生活の中で、最も大切で、だから人々の生活を犠牲にしないといけない。そんな話はまったく聞いたことがない。

いい加減にしなさい。自己中心、自分勝手とはまさにこのことだ。

給付金なんかどうでもいいんだ。外国人の入国を禁止し、五輪を中止にすればよかった。

または、給付金はいらないから、日本から出て行くためのお金が欲しい。他国に永住権も出してもらえるようにお願いしたいものだ。「そんなに文句を言うなら日本から出て行けば？」という声もあるので。

ずっと我慢しています

私は昨年から大事な人にお線香もあげていない。病気で亡くなった親戚の方がいる。

高齢で病気がちの父親とも会ってない。県外ナンバーの車で行くと周囲に嫌がられるからと、母親から来ないよう言われている。

「恩返しの旅」というのを昨年から始めた。新型コロナの隙を見て。まるでもう死ぬみたいじゃないですか。でも違う。移動してもいいときに、しばらく会ってない友人と会っている。必死に感染対策をして会っている。

『るろうに剣心　最終章』は一人で観た。雨の日のレイトショーだ。車から降りて映画館に入り、終わったらすぐに帰った。

「いいな、俺も観たい」と友人に言われた。持病があって絶対に新型コロナに感染できない人だ。観たい映画も彼らは我慢ですよ。

なんでこんなに頑張ってるのに、感染が拡大していくのか。

五輪のせいでしょ。水際対策がまったくできていなかった。五輪で外国人を入国させても大丈夫な様子を、世界に発信したかったのでしょ。そのせいで、日本国内に変異株がどんどん入ってきている。五輪の最中には、「最凶」とうわさのラムダ株も入ってきてしまった。

私はわりと遊ばなくても耐えられる性格だ。路上飲みもしないし、基本的に大勢で騒ぐのは性に合わない。その代わりに、大切な人や好きな人とひっそりと遊んだりするのは好きだ。『大人の男は隠れて遊べ』（総合法令出版）という隠れた名著がある。自分の好きな作品を「拙作」と言わない主義だ。その中でも、この本は名著と書かせてもらった。

男女関係なく、絶対に会いたい人が何人かいる。できれば毎月一回は会いたい。行きたいイベントもあった。職業柄、そのイベントに行くか行かないかで人生が変わるかもしれないんだ。

だが、小池都知事は「都内に来るな」と言った。一年間、まともな対策もしないいま、言葉遊びをしていた。そしてゴールデン・ウィークは、都内から私の住んでいる埼玉県にたくさんの人がやってきた。昼間のさいたま新都心なんか、まさに密。まともに買い物もできない。

何の恨みがあるのかって思うよ、小池都知事。あなたが五輪をやりたいばかりにこうなった。日本人のトップに立つ人たちはやはり、そういう性質なんだと私は解釈します。

近所のスポーツジムは閉店。岐阜に行ったらスナックや個人の中華料理店は潰れていて、食べる所はほとんどなかった。

その人たちは東京五輪を応援したのですか。

「開催すれば盛り上がる」

確かに盛り上がったかもしれない。ただ、それはマスメディアが大いに盛り上げたからだ。視聴率、新聞の売り上げのためには、手のひら返しもフェイクニュースもやりたい放題の彼らに乗ってしまう日本人もどうかしていると思う。

世界でいちばん税金の高い国

税金はどこに消えているのだ

この原稿の執筆時。政府は二度目の特別定額給付金を出す気はまったくなく、自分たちの生活は国民の税金で安泰。一方、飲食店などへの協力金は遅延。こんな時勢でも、税金の納付書がぴったりと届いているでしょう。

東京五輪をやるために、あなたたち国民は日本という国家の奴隷（どれい）になった。

「東京オリンピックを決行する理由は三つある。カネ、カネ、カネだ」

これはアメリカの元プロアスリート選手で、有名なジャーナリストの言葉だ。ブラックジョークにもならない「名言」だ。政府（菅政権）は、誰も国民の命、健康など考えていないのだろうか。

さて、日本の税金がどれくらい高いか。新型コロナ禍でようやく実感した人も多いと思う。少し仕事がなくなると、もう払えない金額なのだ。

アルバという国を除けば、日本は世界一、税金が高いといわれている。

アルバは小国で、まあ、ハワイみたいな規模である。オランダの自治区みたいなものので、除外したい。そうすると日本が世界一ということになる。

共産主義国家でもないのに、世界一税金が高く、なのに、新型コロナが猛威を振るったらあっという間に医療崩壊。**税金はどこに消えているのだ。**

今、原稿を書いている時期は、自動車税の納税もあるだろう。その車に関するガソリン税は、本来の税率に加えて暫定税率も残っている。「暫定」にもかかわらず、ずっとある。さらにこれに石油税が加わったものに、消費税が二重課税されている。

新型コロナ禍で生活が苦しくなった人たちの中には、車検は通せない人もいると思う。しかし**車がないとますます新型コロナに感染する確率が上がる。なのに、国は税金搾取のために、その対策もしない。**道路工事は前年と同じ規模でお金を使わないと、翌年に同じ予算が出ない。だから、余計な工事を深夜にやっている。

学校で、「税金はとても大切なもの」と教え、アイドルや女優さんにもそのキャンペーンをさせる。

煙草で税金を取りにくくなったら、さかんにお酒のCMを流すのも同じ。あるアイドルが、税金に関連する仕事を受けていた。「税金に苦しんでいるファンが離れるよ」と教えようと思ったが、刹那(せつな)的にお金が入ってこないと死活問題だから引き受けたのかもしれず、私は何も言わずにいた。

国民保険も正確に言うと、「国民健康保険税」という。

あるニートの男が、今まで税金をほとんど払ってなくて（消費税は除く）、親からの遺産が入った翌年、国民健康保険を六十万円近く請求されたらしい。「里中先生が言っていた『国保七十五万円』を信じてなかった。こんなに驚いたのは初めてだ」と嘆いていた。

こんな税制のうえ、他国に比べてまだ新型コロナ感染者が少ないのに、医療崩壊しているのではジョークにもならない重税だ。

中流から上流のお金持ちたちから、または、たまたまその年にお金が増えた人から「吸い上げた（安倍晋三元総理がそう表現した）」その税金は、いったい何に使われているのだ。もちろん、一部は医療関係に回されていると思う。だが、すべてではないはずだ。

東京五輪でも中抜きが暴露された。一部、選手村の部屋にテレビも冷蔵庫もないのだ。一方で、ＩＯＣのバッハ会長を始め、関係者は豪華な東京五輪の旅に来日したものだ。

「これはしない」と自分に約束する

私が言いたいことを簡単に表現すると、「税金が高くても、国が無駄遣いをしていなければ文句はない」ということだ。

無駄遣いをしているのだ。または政治家、公務員の給料に充てられて、それも高額で、なんと仕事に失敗しても減給はない。宴会、旅行、女遊び。税金を使っているのだ。

もちろん、適度にならかまわないと思う。彼らも人。ストレスもある。女性議員のことはよくわからないが、男がストレスで死にかけたら、女神のような女性に頼るしかない。そのために、たまに女の所に遊びに行くのなら、私は税金を使ってもいいと思う。たまにだ。

その線引きが難しいが、**自分で線引きできるかできないかで、その人間の知性と器が試される**。

何でもそうだが、「信念」があればできる。ちょっと大げさか。**自分との取り決めとして、「これはしない」と決めておけばいい**。私なんか、「こんなに簡単に守れることはない」というくらい、風俗に行かないと決めている。行くとしたら、こんなときだけだ。

・ゲリラ豪雨などで帰れなくなったとき、または体調不良で歩けなくなったとき
・接待してくれる相手がどうしても行きたいと言ったとき

それでも行くとしたら、セックスやフェラチオがない風俗とも決めている。だからソープに行ったことがない。今後行くことがあるとすれば、友人の女性がソープ嬢になって、「どうしても来て」と頼まれたときくらいだろうか。

信念としてそこまで決めていて、しかもそれを守ることはとても簡単だ。


ボルダリングの帰りに急に気分が悪くなり、繁華街でトイレを捜していたら、呼び込みのお兄さんが真面目に心配してくれて、おっぱいパブに入った。本書が発売される前に風俗に行ったのはこれが最後だと思う。新型コロナが現れる前の話だ。

余談だが、呼び込みのお兄さんが良い人だった。私は職業差別もしない。

そのお兄さんは、私の具合が悪いことに気づき、「静かな店があるよ。どんな女の子が好みか」と聞いてきた。

「長い時間休むお金を今は持ってない。車で寝てるよ」

「この時間ならまだ安いし、休んだほうがいい」

「じゃあ、音楽がうるさくない店」

「どんな女の子がいい？　巨乳と小さいのとどっち？」

「小さいのかな。普通で」

「わかった」

迅速に対応してくれて、おとなしくて巨乳じゃない美人の女の子がずっと横に座っていてくれた。

「車だからお酒は飲まないよ」

「いいですよ」

「触っている客と、全然触らない客がいるけど」

「恥ずかしくて触らないお客さんもいますね。特に上司の方と来ている若い方は。なんか、店の人からお前しかいないって感じで、ここに座ってるから触っていいですよ」

「好みだよ、ありがとう」

ほかにも、新型コロナ禍の前に大阪へ行った帰り、荷物が多かったのに駅前にタクシーがおらず、トボトボ歩いていたら肩に激痛が走ったことがあった。仕方なく店に入ったら、そこはガールズバーだった。風俗に行くのはそういうときだけと徹していて、何でもないときに行くことはない。

政治家にもそういうトラブルで疲れることがあると思う。そのために、税金を使うのはかまわない。線引きが難しいと書いたが、まあ、道端でうずくまることなんて年に一回くらいだろう。

新型コロナと東京五輪で明らかになったもの

これほど、各税金を増税しても借金は減らない国、日本。バブル崩壊後、GDPも伸びない。当時の小泉純一郎総理の規制緩和（最初、効果があった）、アベノミクス（最初、効果があった）で、なんとか凌(しの)いできた。しかし、新型コロナと東京五輪で馬脚を露(あら)わしてしまった。

一、税金がどこに行っているのかわからない
一、国民の生活が困窮していても、しっかりと税金を取る

私には、ドイツに住むピアニストの友人がいる。彼女は、国がロックダウンしても優雅（普通）に暮らしている。ちゃんと国から給付金の援助をされている。

彼女は、「そんなに大金をもらっているわけじゃないけど、私は田舎にいるから十分、生活できている」と言った。「もともと、すごく休みが多い国。それでも成り立っているんですよ」。

私はそれを聞いて、「税金の無駄遣いがあまりないのではないか」と思ったが、女性に政治的な質問をするのは楽しくない。その話はすぐにやめて、音楽や薬草ハーブの話をしていた。

人と人とが愛し合えなくなる国

感染覚悟で恋愛できる時代は終わった

一冊書けそうなテーマだ。

恋愛とセックス。新型コロナで確実に変わる。

まず、**恋愛はしづらくなる。**

相手はマスクをしていて、短い時間のデートで表情がわからず、誤解を招くこともあるだろう。冗談が悪口に聞こえたりする。笑って言っているのに、それがマスクで見えないのだ。

また、**出会いもなくなる。**

例えば、よくある行きつけの店での出会いも減るだろう。最近は店員がお客さんに話し掛けないのだ。私は先ほどカフェで、「今日は寒いですね」と言ってホット紅茶を注文したが、女性店員に無視された。

タクシーに乗ってもそうだし、コンビニでもそう。女子高生らしきアルバイトが袋詰めに苦労していたから、「後ろに並んではいないから、ゆっくりでいいよ」と笑って言っているのに、完全に無視。「お客さんとしゃべってはいけない」というマニュアルがあるのだろう。

「お前は女子高生を狙ってるのか」と、すぐに頭の弱い人から突っ込みが入るが、私は女優で言うと、石田ゆり子さんから名前を知らない若手の女優さんまで、皆好きだ。幼児以外なら、何でもいいようだ。

だからといって、ナンパはしたことがない。見ているだけ、しゃべっているだけでよくて、たまたま恋愛に発展したら幸運だな、という人生だ。

新型コロナ感染覚悟で恋愛ができる時代は、二〇二〇年に終わった。

「新型コロナはただの風邪」という言葉がなくなったのがその証拠だ。

セックスの回数は極端に減っていく

「濃厚接触」という言葉が最初に登場したときに、「セックスのことか」と皆、笑った。セックスはもちろん濃厚接触だ。確実に新型コロナに感染していない恋人同士、またはラブラブ夫婦で子供も体調が良い。それでやっとセックスができるという時代になった。

お互いに感染している様子はまったくなくても、冷房が効いている部屋でセックスをしていて、どちらかが咳をしたり、「寒気がするな」と言ったりしたら、途端に空気が重くなる。**「コロナじゃないの?」で、もう楽しい時間は終了だ。**

一方で、何も気にしないでやっている人もいるだろう。別項でも書くが、路上飲みをする人たちや河川敷でバーベキューをする人たちと同じだ。

その差は「知性」でいい。

人はセックスに遊びを取り入れた。英語では、「プレイ」。日本でも、妊娠とは無縁のセックスは「プレイ」と言う。趣味としてそんなセックスをしている人たちも、男女共大勢いる。マジョリティとも言えるが、公にすると軽蔑されるから、不倫同様、隠しているものだ。

「食欲」「睡眠欲」「性欲」が人間の三大欲求。次にあるのが、排泄欲といわれている。これらすべてがセットだ。性欲を軸にしてみても、セックスで体力を使えば食べるものが必要で、食べたら排泄をしたくなる。またセックスが終わると眠くなるのが気持ち良いという女性も多い。


それほど重要な欲求のうちの、セックスがやりにくくなるとどうなるか。

まずは、ナンパのセックスが怖い。お持ち帰り、出会い系アプリも同じだ。相手が新型コロナに感染していないか気になってくる。ちょっとお茶をするくらいならいいが、セックスはキスもするほどのわかりやすい濃厚接触。どちらかが新型コロナに感染していたら、恐らく九十パーセントは相手も感染してしまうだろう。

風俗も同様だ。風前の灯火の風俗店が、「女の子たちは毎週ＰＣＲ検査をしています」と言えるはずもない。もともと性病検査も必要で、絶望的に淘汰の流れである。

新型コロナには関係なく、セックスにはもともと合意しないとプレイができない口約があったものだ。「ゴムは必ず着ける」とか「夫には内緒」とか。それらに加えて、**もっと神経質にならなくてはいけない問題が出てきてしまった。**それが新型コロナだ。

完璧なワクチンと特効薬が市販されるまでは、きっとセックスをする回数が極端に減っていく時代になるだろう。

「新型コロナなんか怖くない。それよりもセックスだ」と六本木に繰り出し、ナンパしては女性の体を堪能。女のほうも、若い男の肉体かテクニックのあるおじさんで満足してストレス発散、相手がお金持ちだったら小遣いもくれる。

「性病にさえ感染しなければいい」「妊娠しなければいい」「お金をもらえたらいい」「これで百人目。千人は抱きたい」。

そういう野望や貪欲な夢は終わった。「新型コロナなんか関係ない。デルタ株もラムダ株も怖くない」と合意できる相手を探すのは大変だ。

ワクチンを打てない体質の人もいる

新型コロナに感染しない人は、すでにワクチンを打っていて、それがたまたま効いているか、一度感染していてすでに抗体を持っているか、コロナ系ウイルスに恐ろしく強い肉体を持っているか、ということだ。

たまにはそういう人もいる。私は実はインフルエンザウイルスに強い。息子と妻が同時にインフルエンザに感染したとき、車で普通に病院に運んで、その後二人同時に看病した。微熱もないし咳さえもしない私を見た妻が、「本当は感染しているけど、症状に出てないだけだ」と悔しがった。

「ワクチン」と聞いたら大喜びで飛び付く人たちがとても多いが、新型コロナワクチンの場合、五年後、十年後に人体にどんな影響が出るのかわかっていない。女性のほうが副反応を発症する率が高いのも、もっと憂慮されるべきことだ。

また、**女性が新型コロナワクチンを打った後の変化に対する十分な治験もない**。そう、「妊娠しなくなる」「奇形児が生まれる」などはデマだというが、すべての女性にワクチンの影響がゼロではないだろう。

私の拙作小説に『ZEROISM』という作品がある。「すべてをゼロにすることはやめなさい」というテーマだ。ただ、薬害に関してや、ジェノサイド、レイプなどはゼロにしないといけないと思っている。

その中でさっさとゼロにしなければいけないのが薬害だ。ほかは時間がかかる。ワクチン接種後に亡くなっている人たちがいるのだから、ゼロにしなければいけない。中長期的な副作用がある可能性はまだ残っている。

そんなことは問題視しない勢いで、「やった。ワクチンだ」と喜んでいる人たちが多いことに驚いている。私のように、アナフィラキシーショックを起こした経験もないのだろう。ワクチン接種では「医師がそばにいるから大丈夫です」とアナウンスしているが、アナフィラキシーショックの苦しみと恐怖はまさに半端ないぞ。

これは私が「ワクチンを打てない体質です」という話だと思ってもらいたい。

科学者並みの知識があるかのように、饒舌にツイートするネットビジネスの著名人たちは、少しは、マイノリティの気持ちを考えてほしい。

ここでのマイノリティとは、「危険性が高いワクチンは打てない体質」の人たちのことだ。その問題を政府も発信しない、恐ろしい状況なのだ。

ワクチンを打てない体質の子供が、大事な勉強、部活などがあったら、それを放棄しなければいけないのか。ワクチン接種は自分の意思じゃないのか。副反応で高熱が続くワクチンを、かわいい子供に打たせるのか！

われわれはモルモットにされる

ワクチン推進派は、優しくなく、著しく軽い。

「ワクチンを接種したら、死ぬかもしれない。後遺症が残るかもしれない」「ワクチンを打たないと、コロナに感染して人に迷惑を掛けるかもしれない。死ぬかもしれない」。そう苦悩している人たちの気持ちを、政府もマスメディアも無視している。

日本は全体主義に向かって、「ワクチンを打たないと自由を奪う」という風潮になっている。ほぼ国が命令するかのような強制接種になりそうな気配だ。これはもう戦時中と同じ状況で、繰り返し言っているが、日本はやはり戦争で国民を犠牲にするのを好む政治家たちが集まった国だと確信した。

異物が混入したワクチンも、五輪のために隠蔽されていた。

われわれはこの夏、モルモットにされているのだ。皆、薬害エイズ訴訟を忘れている。同じことの繰り返しだ。

私は専門家ではないし、皆さんの不安を煽（あお）るつもりはない。

私の父と母はすでに接種をした。私は解熱剤のアナフィラキーショックを起こしたことがあるから高熱に対処できない。息子は高校二年生で、部活動の全国大会のために打たなければいけないなら、仕方ないと思っている。皆さんは自分で判断し、ご自由に。

子宮頸ガン予防のワクチンは、人によっては副作用があると後になってからわかり、積極的接種勧奨が中止された。

新型コロナワクチンでは、現時点で接種を中止する気配はまったくない。死者の数で言うと、インフルエンザワクチンは約五六四九万人に六人（二〇一九年一〇月〜二〇年四月）くらい。新型コロナワクチンは約六七二三万人接種で七五一人（二〇二一年二月一七日〜七月二一日。共に厚労省）。それを厚労省は「因果関係不明」と片付けている。恐ろしい国になったものだ。

私は昨日まで日本を愛していた。恋人が狂ってしまったので、それを断念した。

ここからは想像の世界だが、数年後の日本で奇形児ではなくとも、少し変わった子供が生まれたり、発達障害の子供になることが多くなったりしたとする。それでも、新型コロナワクチンの影響は否定される。国の対応を知った両親は怒りを覚えるし、それを見ている新婚の夫婦は子供をつくらなくなる。

その反動で、**セックスは、まさに「プレイ」ばかりの世界に変わる**。「変態セックス」という言葉はなくなり、「趣味のセックス」のような指南書が書店に並ぶ。今までは「変態」と軽蔑されていた、妊娠とは無縁のセックスのやり方が載っている。ＳＭも流行るだろうし、ワクチンで感染が防げるようになれば複数セックスも流行るだろう。

そして少子化がますます進み、国は弱体化していく。

「美徳」で自殺を増やす国

日本人が持つ愚かな「美徳」

日本は自殺大国である。

この話は何度かメルマガなどに書いているから、違う角度から入りたい。

日本人には、「美徳」がある。

例えば、「伝統を守ろうとする」。天皇の男系を守る気はないようだが、金閣寺などは守ろうとする。

一方で、非常に滑稽な美徳もある。**はっきりと言って愚か**ということだ。

歪んだ美徳を挙げたらキリがない。

- 見て見ぬふり
- 暴力はどんなことがあってもダメ。正当防衛も悪
- 他国が攻めてきても戦争はダメ。自衛隊で頑張れ
- 預金主義
- サザエさん崇拝
- 曖昧（あいまい）な会話とお付き合い
- 仕事の責任は自分で取る

「見て見ぬふり」に関しては、私がこの後に書く話でわかるはずだ。見て見ぬふりが嫌いな私は女子たちに嫌われた。

例えば、「溺れている他人の子供を助けようと川に飛び込み、亡くなった」という人は年間に結構な数いるが、これも見て見ぬふりをすべきだというのか。

子供を助けて亡くなった人が男なら英雄、女性なら女神だと私は思う。しかし、記事は小さい。年末の特番で、「今年、これだけの人が、川や海で溺れている人を助けました。その特集です」なんてないでしょう？

似ていることで正当防衛もそうだ。「そんな暴力的な男の人は怖い」と思った女子がいると思う。**では、殺されろということか。**開いた口が塞がらない。

曖昧な会話は、川端康成の『雪国』のように純文学としては美しく読めるが、ビジネスや恋愛の最中にそれをやると、大変なトラブルになる。

政治の世界でもそうだ。昔、『「NO」と言える日本』（盛田昭夫・石原慎太郎著／光文社）という本がベストセラーになったが、それら「日本人は口を濁すバカだよ」と指摘する本がいくら売れても、変わることがない。

変わったのは、金への執着心が高まったことだ。「成功するための超合理主義」「炎上商法」などの本が増えている。こちらは、日本人の美徳の良い部分も潰しにかかっている。

「見て見ぬふり」が正しいとされる

日本はもう、悪いほう悪いほうに、歯止めが利かなくなっている国と言っても過言ではない。

かつての自慢だった電化製品の技術でも韓国に負けている。オーストラリアの友人に聞いたら、電気店のテレビコーナーでは韓国製が正面に飾ってあり、日本製はなかなか見つからないらしい。え？　日本ではちゃんと日本製が売れてる？　それはすぐに修理ができるからだ。

技術的な問題は論点から外れるからやめるが、これら**歪んだ美徳が、自殺者を増やしているのは決定的**だと思ってもらいたい。

例えば、学校で虐めがあったとしよう。あからさまにわかるはずだ。その子は登校してこなくなるからだ。

教師は、決してはっきりとものを言わない。私が教師なら、教室に入るなり、「おい、○○を虐めている奴ら、覚悟しろよ。明日は我が身だぞ」と一喝。それをこっそりスマホで録音した生徒がいたとしたら、スマホの持ち込みを禁止にさせるために校長に申し出る。校長が言うことを聞かなければ、こちらも脅迫的な手段に出る。ネットを使えばいいのだから。

教育委員会？　教育できないのに偉そうにされても困る。
それくらいやって、虐められている子供を守る。男子なら武道を教える。女子なら徹底的に私が守る。私が口だけではないのは、付き合ってきた友人たちが知っている。

しかし、だ。

こういうことをする男が日本人の美徳に合わない。「そんなのはやっても無駄。あなたがピンチになる。見て見ぬふりをしてなさい」と男女の友人や知人から叱られる。その結果、私のような男は激減していったのか、自殺する少年少女たちは絶えない。なのに、マスメディアは、「芸能人の不倫問題」のほうが大事。そちらばかりを垂れ流す。

『サザエさん』のような家庭を理想とする人たちによって、男たちは家庭に縛られ、自由奔放に動こうとすると叩かれるようになった。ブラック・ジャックのように、正義のために暴力的な手段を使ったり、怒りをあらわに矛盾や命を救ったりすることはできなくなった。もちろん、温かな家庭はとても大事で、『サザエさん』を軽蔑しているのでなく、サザエさん崇拝者たちを軽蔑しているのだ。

ブラック・ジャックが助けられなかった命のことでふさぎ込んだり、八つ当たりしているときに、ピノコはコスプレしたり、怒鳴られても飛び上がるだけで、静かに見守っている。ピノコが仮にブラック・ジャックの奥さんだとしたら、間違いなく夫の原動力になっている。

だが、サザエさん崇拝者は、仕事で大きなストレスを抱えている夫に文句は言っても、静かに見守ることはまずないと思っている。そもそも「コスプレ」と言っただけで「そんなめんどくさいことを、なんでしないといけないの」となるし、「彼に愛されたいけど、愛してない」という言葉はよく聞く。

道徳的過ぎる『サザエさん』が、ずっと国民の手本のようになっている。行き過ぎた道徳主義は、情熱的な愛を見失わせる。

相思相愛は、『サザエさん』も『ブラック・ジャック』も同じ。それがなくなったら、自殺者も増える。また、夫婦仲が悪いと、それを見ている子供も、人の愛し方を知らなくなるものだ。

セックスに対する歪んだ美徳

さて、日本の歪んだ美徳をもう一つ。

・愛のないセックスは誰でもしているのに、セックスは隠すもの

アメリカのハーバード大学で、「ゴム付きセックス、またはセックスしていないカップル」は鬱病になる確率が高いというデータが取れている。また、セックスに関する部位のガンも、セックスレスの人のほうが罹る確率が高い。男性の場合、月に二十一回射精しなければいけないらしい。

日本人は、ほとんどの夫婦がセックスレスだ。夫からの「会社で失敗した」というメールを受け取った妻が夫を玄関で待っていて、ドアが開いた瞬間にフェラチオなんて芸当はないと思う。

セックスレスは「子供がいるから」という若い妻が多いが、それは努力不足。やる気があれば、家のトイレでもできる。そもそも、親のセックスを見てしまった子供が大人になってセックスに偏見を持つようになったという事例など少ないはずだ。親が愛人とセックスしていたのを見た、というなら話は別になるが、それでも、両親の仲が良ければ、「お父さんはモテたのね」で終わるものだ。

大人になってからセックスに対して歪んだ思いを持つようになるのは、レイプされた少女、されそうになった少女、または他人の男の射精を見た少女だ。

少年の場合は、ほとんどが先天的な性欲でＡＶの変態セックスやらを熱心に見ている。無論、見ていない男もいる。私の知っている限り、その種類の男たちは、恋人や新妻ともあまりやりたがらない。先天的に弱いのか、映像に興味がないのか、疲れ過ぎているのだろう。

極論だが、すべての男が戦場で極度のストレスに襲われたら、そこにいる若い女をレイプすると思っている。

ただ、レイプされているそんな少女や若い女性を見て怒り、レイプしている男をやっつけてしまう男もいる。その後、彼女たちをレイプすることはないらしい。父性的な本能で満足してしまうわけだ。勇敢な正義感を維持したほうが気持ち良いということだろう。

少女の性に対する偏見について話を戻したい。

男の射精にしても、幼いうちはオシッコだと思うはずだ。それを見て「射精だ。怖い」と思ったら、大人の女が吹き込んでいたということになる。これは確定。

それは母親だ。娘が三歳くらいになったら、「大人の男は危険よ」と諭し、射精のことも教えて洗脳してしまう。結果、それがさまざまな場面で娘の恋愛の枷になってしまう。

男の場合は、親のセックスの影響をあまり受けない。あなたが変態だとしたら、そのフェチは、さっきも書いたが生まれつきだ。

「セックスに真面目過ぎる」または「ベッドでの正常位以外のセックスを軽蔑している」という美徳なのか悪徳なのかわからない心理で、男女共ストレスは倍増。

もともと、**セックスはヒトの進化の中、ストレス発散のためにさまざまな形に変化**

していったのに、日本人はその変化を嫌っている。チンパンジーはコスプレをしない、ということだ。わかるか。しかも挿入から射精まで約十秒から二十秒の短かさだ。チンパンジーなど、多くの動物のペニスにはとげのような突起が付いている。雌にとって交尾は苦痛であり、長時間できないのだ。

人間は、進化の過程でそのとげが失われている。だからこそ、セックスによって愛し合うことができる。スキンシップを含めて長く愛し合う、またはプレイを交えて楽しむセックスを嫌う人は、退化していると言える。

どん底の男がセックスもできなくなったら

ここに列挙するセックスのプレイは、欧米各国では、当たり前か、やや当たり前か、許されているか、バカにされないか、探求されているものだ。

一、アナルセックス
一、乱交

一、ＳＭ
一、不倫
一、夫婦交換
一、コスプレ
一、ベッド以外でのセックス
一、女性が口を使うだけ
一、スカトロ系
一、常に大人のおもちゃを携帯している
一、露出プレイ
一、カーセックス
一、愛人を囲う
一、女性向けの風俗
一、ピルを積極的に使用するセックス
一、ポルノを一緒に見ながらセックスする
一、自分たちのセックスを撮影して楽しむ

一、遠隔でオナニーのビデオを見せ合う
一、陰毛の処理
一、媚薬、ドラッグを使ったセックス

アナルセックスなんか、アメリカのテレビドラマの中で、描写はされなくても普通の会話に出てくる。

法的に許されていないのは、「ドラッグを使ったセックス」だろう。さすがに大麻以外のドラッグは危険だ。しかし、バイアグラ系の勃起薬を世界中で販売しているのだから、その矛盾に大笑いするしかない。ＥＤ治療薬で亡くなった男たちのデータはないのだろうか。

私、本に書くためにＥＤでもないのに飲んだことがあるが、死にかけた。レビトラという薬だ。怖かったから半錠にしたのに、強烈な頭痛がやってきた。セックスの最中に血圧が急上昇しているのがわかる。相手の女性に伝えていなかったから、射精するように促されたが「多分、射精した瞬間に脳の血管が切れて死ぬな」と思い、「ちょっと疲れてるから、射精はいいよ」と終わらせた。

さまざまな種類のＥＤ治療薬があり、私にはレビトラは合わなかったのか、ＥＤじゃない人が飲んだらダメなのか知らない。陰謀論は嫌いだが、「男たちにセックスするなって世の中なのに、何のために開発されてたくさん処方されているのかわからない。フェミニズムの陰謀じゃないか」としか考えられない。

ＥＤにしても、男性器に病気があったら仕方ないが、精神的なことだったら、やはり、夫婦間の問題だろう。女が悪いと言っているのではない。日本人に積極性がなかったり、子供を気にしたり「四十歳を過ぎたら、セックスするなんてバカ」という風潮があったりすることが、ＥＤの原因になっている。

先ほども描いたが、乳ガンや前立腺ガンの発症も、セックスレスが一つの原因になる。**乳ガンなら、夫が乳房を触ればしこりに気づいて早期発見で助かることもある。**

そして、もし、**仕事で失敗して借金もある男が、ＥＤでセックスもできなかったらどうか。**

そりゃあ、自殺するしかないと思う。女性にはわからないと思うが、男にとって、勃起しなくなることほどショッキングなことはないのだ。女子の皆さんが、突然、顔にシミや皺が出てきたようなものだ。あるいは、おっぱいが急に激しく垂れてしまったり。

ほかに、快楽を得られる趣味や嗜好があればよくて、そういう男もいるが、その大半が、セックスよりも危険なもの、体を壊すもの、破産するものだ。

日本が自殺大国である最大の要因は、夫婦のセックスレスと欧米のセックスを軽蔑していることだ。

無論、虐め問題なども深刻だが、ここではセックスを軽蔑している日本というテーマに徹した。

第二章

絶望的な、日本の民度

子供にキラキラネームを付ける人たち

天才が育つ条件とは

私が「天才」が大好きなのは、皆さん知っていると思う。私の書く小説に出てくる男たちは天才ばかり。女子も『コトハの肖像』という作品で「琴葉は天才」と称えられている。「仕事やサバイバルの天才」対「恋愛の天才女子」という構図を描くのを私が好きだからだ。

当然私は、天才とは何か、普段から調べている。メルマガにも書いたことがあるはずだ。

結論から言えば、**天才とは、ほぼ遺伝でつくられる**。

ほぼ、というのは何事も反対派の研究者、学者がいるからだ。議論は終わりを迎えないから、一応「ほぼ」と書いておいた。最近、「絶対」という言葉を使うのは控え目にしている。

ダーウィン、バッハ、デビッド・ボウイを始め、天才がいる家系には天才が生まれる。

ただ、その中でも有名になる人と無名なままの人がいる。

そのことを**「環境が変える」**と言う。兄弟が多く、親がどの子を優先したかで、同じ天才でも、世に出る子供と出ない子供に分けられてしまうのだ。

しかし、世に出なかった子供もそれなりに実績を上げているものだ。有名な兄弟と同じくらいの実績を上げたがたまたま世に出なかったとか、早世したということだ。

こうしたことを**「遺伝」で片付けたら人権の問題になるし、身も蓋もないから、皆言えないだけだし、事実、環境に影響を受けたのだ。**

例えば、獣のようなカップルが理性的な子供を産むことはない。ただし、ここで先ほどの「環境」が関わってくる。獣のようにセックスをしまくって、勝手に産み落とされた子供が、超道徳的、理性的、知性的、そして優しいばかりの里親に育てられたら、ある程度は、攻撃的な性格を抑えることが可能だ。

米カリフォルニア大学のジェームズ・ファロン博士は、サイコパスの脳の研究をしていて、自分がサイコパスの脳と同じパータンを持っているとわかってしまった。ちょっとギャグのようなオチだ。

彼は実はたくさんの友人に恵まれていた。その友人たちはやはり、「お前は怒りっぽかったから、なだめるのが大変だった」と少年時代を回顧していたが、彼はしっかりと社会生活を送っていたのだ。

逆ギレするように読めない名前を付ける親たち

さて、今回考えたいのはキラキラネームである。

読める名前は問題ない。キラキラしていても。

私の知人に、女優の「宮藤あどね」さんがいる。「あどね」は、ひらがなだから読める。

これが漢字を多用していたらアウトだ。

そして「あどね」には深い意味がある。ギリシャ神話に出てくる女神「アリアドネ」が由来だ。そこまで親御さんが考えて、しかもひらがななら、問題はない。

ところが、**キラキラネームの多くはそこまで考えられていないし、総じて、読めない。**

これが大問題だ。本人にも周囲にも大迷惑。覚えられなくて教師がメモをしたり、会社の上司が「君の下の名前、何だっけ？」と何度も聞き返したりすることになる。最後には、「なんでキラキラネームになったんだ」と酒の席でケンカになる。

それもこれも、親が遺伝的に頭が弱いからだ。多分、ご先祖様にそういう人がいたのだろう。先祖代々悪いのか、優秀だったがどこかで暴力的か無知性な人と結婚して、そちらの遺伝に負けたということだ

そもそも、子供が出来たときに、母親が「私はキラキラした名前がいいの！」とだだをこねたり、父親が「キラキラにする！」と押し通したりするのが奇妙だ。

世間でこれほど「やめなさい」と言われているのに、まるで逆ギレするように子供に読めない漢字で名前を付ける。

その親は遺伝的に「反社会的」な脳になっているのだ。自分の子供の未来を露ほども考慮していないことから、愛もなければ、知性もないことがわかる。今は戦争がないから、子供を利用してでも社会にケンカを売るということだ。簡単な話だ。

根拠?

子供を産んだことはありますか。つくったことはありますか。

あなたとそっくりでしょう。それが根拠だ。

正しい進化をしていない人もいる

無論、人類の歴史は長く、あなたにもご先祖様がいるから、この世に生きている。その遠い時代のご先祖様は暴君だったかもしれない。セックスに理性など不要だった時代が十八世紀くらいまではあった(熱中しているときは理性がないほうがいい。セックスは楽しむもの)。

男たちは暴君。女たちは憎悪の塊。そんな古の時代から、改良に改良を重ねられてきたのが、今の時代のわれわれだ。

もしかすると、猿から進化したのではなく、宇宙人が進化させたのかもしれない。どう考えても進化の過程がおかしい。アマゾンにいる猿の仲間も進化の兆しはない。それはともかく、**結婚を繰り返した末に改良された、われわれ理性と知性を持った人間の中にも、改良しきれていない人が多くいる。**その人間たちが、キラキラネームを平気で付ける親だと思ってもらってかまわない。私は大いに軽蔑している。

とにかく、読めれば問題はない。

今、私の目の前にスティーブン・ピンカーの本がある。例えば、子供の名前を「浜火」にしようと決めた親がいたとする。

「はまか?」「はまひ?」「すみません、君の名前が読めない」と面接で言われる。履歴書にひらがなを振ってあるが、念のために聞く面接官。

「ぴんかです」

「そうか。意味は?」

「わかりません。多分、砂浜でバーベキューをしていて思い付いたんだと思います」

「親が？」

「はい。そこで仲良くなったらしいけど、その話は聞きたくないので」

「ああ、そこのテントか草むらでやったんだね」

「あははは」


多分、これで不合格。

一応、企業は親も見る。「名前で不採用なんて差別だ」とか言う営利団体が出てくるが、結婚するときにも親は相手の家族を見るでしょう。会社はね、ボランティアをしているんじゃないんだよ。バカは雇いたくないんだ。トラブルもごめん。綺麗事は言わないでほしい。

今からでも改良できる

あなたが遺伝的に無知性だとする。気を悪くしないでほしい。私もそうかもしれないのだ。

だが、今から改良ができる。**頭の良い相手と結婚すればいいのだ。**生まれてくる子供は、運が良ければ中の上くらいの人物になる。その子供のために、親も理性を持てるようになる。

あなたの脳は劣悪だったかもしれないが、なんと優秀な脳に進化するのだ。パートナーに習って子供をきちんと育てるために、脳の訓練をするからだ。

その子がまた賢い人と結婚したら子供は才気溢れる人になり、また、その子供が賢い人と結婚したら、**次は天才が生まれる。あなたのひ孫くらいが天才になるかもしれないということだ。**

私の息子を見ていたら、百パーセント遺伝で構成されていることがわかる。何も教えなくても幼稚園くらいから、私と妻に似ていた。

私から受け継いだのは、見た目や才能重視の性格。人と同じことはしたがらない。美術、芸術も好きで、修学旅行のときに一人だけ奈良のお寺や神社を見ていたとか。

食事の好みは私とまったく同じ。我慢強いのは妻に似ていて、負けず嫌いが私に似ている。父親の私とスポーツの勝負をしないのだ。もう勝てるだろうに負けたくないようだ。中三のときに腕相撲で負けたからかな。

息子の名前は漢字だが、よほど無知な人ではない限り読める。「キラキラは絶対に付けない」と私が言ったら、「当たり前です」と妻が答えた。日本中にある発音の名前で、彼は親しまれている。


そういえば、ネットで「読めない名字もあるのに、なんで名前はダメなんだよ」と怒る人が結構いたが、名字は先祖代々決まっているもの。名前は親が勝手に決めるもの。怒っている男が、まさに遺伝的に終わっている。

キラキラネームを付けるのは、俗に「親のエゴ」というわけだが、それを飛び越えて、「親が遺伝的に無知性」と言っておく。

新型コロナ禍に感染対策をしない人たち

風邪薬がなければどうなるか

キラキラネームを付ける親には知性がないのと同じで、**新型コロナ対策を怠る、または軽視してきた人たちを大いに軽蔑している。**

彼ら彼女らの言い分のほとんどが、新型コロナは「ただの風邪」という、ウイルスをバカにした言い方だ。威力は確かにそうかもしれない。私も狂犬病ほど怖がってはいない。

では、ひねりを利かせて考えてみてほしい。

……と言っても彼ら彼女らにはその知性もないと思うが。

ドラッグストアに風邪薬が一切なかったらどうなるか。もちろん、医師からの処方篓にもない。日本はパニックになる。風邪でも高熱が出る人、下痢になる人、肺炎になる高齢者がいる。違うか。

新型コロナの問題点は特効薬がないこと（二〇二一年七月現在市販されていない）、それが出来てもまだまだ安易に手に入らないことだ。その事実は、新型コロナのウイルスの威力とは別問題なのだ。すべての病気は、薬があるかないかが重要なことであって、あっても効かないと悲しいことになる。

風邪を誰かにうつしたとしても（追跡調査しないからはっきりわからない）、ドラッグストアに風邪薬が売っている、または家に常備してあり、栄養を摂って休めば二日くらいでなんとかなるだろう。

花粉症にしても決定的な薬はない。死に至らないといっても、スポーツのパフォーマンスは落ちるし、女性のセックスにおいてフェラチオが苦しい。男もディープキスをしたくない。人前で鼻水を垂らしてばかりいるのも恥ずかしいから、花粉症の薬を飲むが、春先になってくると効き目が落ちてくる。

今、私はわざと「フェラチオ」の話を書いた。それをぱっと見て「里中って奴はクソ面白い。セックスばかりでバカ」とか思った人は、男女関係なく子供にキラキラネームを付けるような頭しかない。本当は「キスが長いと苦しくなる」と書いてもよかった。

私にすべて見透かされているから、反論はしないほうがいい。わざと怒らせたのだが、その怒りを誹謗（ひぼう）中傷に変えるのではなく、セックスの歴史の勉強や彼女が花粉症だったときの対策を知るために脳を使ってほしい。それで、私のセックスに関する一文が人類史に基づいた話だとわかる。

「自分は、自分は」の日本人

新型コロナ対策をしない人は、同時に「自分さえ良ければいい」と思っているわけで、まともな人ならそのことを知っている。日本人特有のナルシシズムで、本書のテーマの一つでもある。

日本人は優しいと思われているがそれは嘘で、新型コロナ禍で馬脚を露わしてくれた。昔、ユング派の学者が書いていたように、**「自分が乗っている飛行機は落ちない」**

と信じている民族の代表格で、「自分は、自分は」というのが日本人だ。

愛のない結婚をするのもそう。

セックスレスで、「愛してないのに」結婚生活を続けるのもそう。

自分さえうまくいっていればいいのだ。夫婦共そう思っていることもある。そして、新型コロナ対策をし、自粛を頑張る人たちだけがバカを見て、破産したりして、大いに出掛けている人たちはうまくやっている。

恐らく世界中でその傾向はあるのだろうが、本質的にテロリズム性の遺伝子を持つ人間は、反社会的な行動に出たら「目立つ」「成功する」という嗅覚を持っている。だから、新型コロナ禍になったときに、遺伝的に「チャンス」と思って、「反新型コロナ対策」に転じたはずだ。

私は息子にキラキラネームも付けなかったし、新型コロナ対策も律儀にしている。後者では今後も自分で対策をしていきたい。

私がお茶をしているときに、マスク着用に気を遣っていたら、マスクをしていない相手もマスクを着けるものだ。そうして、**一人ひとりに「知性」「優しさ」「無償の愛」などを教えなければいけないのが日本人という民族**で、平和なときにはそれがうまくいく。今は新型コロナ禍で平和ではないのだ。

新型コロナなんか、マスクをして、アルコール消毒、手洗い、うがいを一日に何度もしていたら防げる（変異株は不明）。

次の項でも触れるが、渋谷のハチ公前で「新型コロナは政府の陰謀です」とマスクなしで演説する女がいた。

警察官が注意しないのが不思議だが、「マニュアルにないから」とか「警察が叩かれるから」ということなのだろう。それも日本人らしい。他国なら、逮捕されるか通りかかった人にぶん殴られている。ロックダウンした国で言えば、オーストラリアなら罰金がある。

それをしないのは日本人の「優しさ」ではなく、官民共に自分さえ良ければどうでもいい、という心理なのだ。

ここまでは絶望的な話だが、前項で話した通り、あなたが恋愛をするときに、そこを見て結婚を決めたらいい。

「彼女、彼氏に知性はあるのか。人を愛せる優しさはあるのか」と。

暴力的、反社会的な遺伝子も、その逆の遺伝子と何度も重なっていけば薄らいでくる。反社会的な行動ばかりしている男がいても、そのひ孫は、その時代の新手のウイルス対策をするかもしれない。

それだけの話だ。希望が満載の言葉だと思う。

陰謀論を信じ込む人たち

「巨大地震は政府が起こしたことだ」(?)

渋谷駅のハチ公前で、若い女性が「新型コロナは政府の陰謀です。新型コロナなんかないんです。皆、騙されているんです。さあ、マスクを外しましょう」と目を吊り上げて演説していた。もちろん、マスクなどしていない。マイクを持って、唾を吐き出して叫んでいた。

世界中で多くの人が感染し、亡くなっているのに、そのウイルスがないそうだ。笑わせてくれる。

例えばエイズで言うと、男性のほうが圧倒的に感染し死亡することが多いから、もしかしたら、男性を死なせるためのウイルスかもと思ってもおかしくない。しかしそれは違う。後述する確率論で、ある程度は「なんだ、男が多くて当たり前じゃないか」と納得できる。

欧米では男女どちらもアナルセックスは当たり前だが、やはり女性は恋人や一人の男とじっくりとする。一方の男たちは、飲み屋を梯子（はしご）するように、次から次へとセックスをして歩く。相手が不特定多数になると、日本で言うなら梅毒でも同じ現象が起こるということだ。それと、免疫力が著しく低下している人がエイズに罹りやすい。

そう、欧米や東南アジアの遊んでいる男たちは、薬と酒をやりながらセックスをするのだ。だから体はボロボロで、エイズに感染しやすくなる。

——陰謀論。

ロンドン大学のS・ファン・デア・リンデンは、「陰謀論を信じ、それを吹聴（ふいちょう）する人間は、軽い統合失調症である」と考えているし、多くの学者は陰謀論を吹聴する人たちを偏執、妄想の人として相手にしない。

酒の席で面白おかしく陰謀論を持ち出す程度ならいいのだが、それをしつこく押し付けているとしたら、やはり心が病んでいるのだろう。

有名なのが、「巨大地震は政府が起こしたことだ」という人工地震信者である。与党の選挙が間近に迫ったときに震度五以上の地震が起こると、前回の地震のデータも持ち出してきて、まさに狂ったように拡散している。

どうやら、**確率というものを知らないようだ。**

与党の選挙のたびにその選挙区に隕石が落下するなら、宇宙衛星から隕石を投げ飛ばしているのかもしれない。しかし地震大国の北海道から沖縄まで、震度五前後の地震が発生する頻度など、皆さんが財布を落とすことより高い。

新型コロナに関しては、「中国の研究所から出た生物兵器」という陰謀論があるが、これは一つの見解と言える。

だが、そこから、「どこかの大統領を殺すため」とか「世界を制圧するため」と話がどんどん「人々を脅(おび)えさせること」になると、それを拡散している人たちは、やはり心が病んでいる。

正確に言うと、映画にあるような陰謀というのはある。

似て異なるが、暗殺だろうか。私がぱっと思い付く暗殺で言うと、中川昭一、ケネディ、坂本龍馬など、「誰が殺したのか」という人物だ。

中川昭一の場合、病死と診断されていたが、その前の泥酔会見があったから不審だ。自民党保守派の知的行動派であり、多くの左翼、そしてＩＭＦに敵がいた。

織田信長もそう。豊臣秀吉、黒田如水(じょすい)らが結託し、明智光秀に暗殺させて、すぐに明智の首を取ったというのが陰謀論的なネタになる。

だが、**私はそれを吹聴していない**。YouTubeで語ってないし、友達に会うたびに話しもしない。話すのも、酒の席ならいいのだ。しかももう遥か昔の事件だ。話を聞いても怖くない。

反対から物事を見れば本質がわかる

一方、新型コロナ、巨大地震は現在進行形である。

東日本大震災で泣いた人は数え切れないほどいて、今も心に大きな傷を抱えている。それに対して、**「あの津波は人工的なものだ」と吹聴している人間がまだいる**。

もし、人工だったらどうか。

「人類の歴史上、最大のジェノサイド」と言える。

それを日本、アメリカ、中国の政府が実行するメリットはない。

安倍氏が総理大臣を務めた後期、人気が落ちてアンチが増幅した頃、地震が起きるたびにTwitterを中心に多くの人間が「安倍がやった」と騒いだ。それをたしなめている人たちは本当にうんざりしていて、そして正常だ。叱られて逆ギレの持論を展開する「しつこい」連中は、やはり病んでいるのだろう。

もし、日本の総理大臣が選挙を妨害、または有利にするために地震を発生させることができるなら、私は選挙に立候補して総理大臣になりたい。

それほどの権力と地殻を動かせるだけの力、金が手に入るなら世界最強。美女も次から次へと手に入り、フェラーリからベンツまで乗りたい放題。日本の最高級リゾートホテルを貸し切りにし、そこに新人女優からアイドルまで呼んで、おしゃべりからセックスまでできる。

なぜなら、「そうしないとあなたの実家を狙ってピンポイントで巨大地震を発生させる」と言えるからだ。**そんな美味しい話は三流SF小説にもない。**

本書の編集者は、執筆するうえで「なるべく読者を叩かないように」と言った。社会を、国を、読者以外の人間を叩くのはいいが、読者はダメだということだ。

私の読者に「陰謀論」を唱えている人はいないだろうが、少し考えているなら、私がそれを治す方法をお教えする。

陰謀論を破壊する理論は、「確率論」だ。

先ほども隕石のことで触れた。世界の人口は七十億人以上。不運な目に遭う人はいっぱいいる。中には暗殺される人もいる。

あなたがビジネスで大失敗をしたとしよう。

「誰かの陰謀だ。こんな失敗はあり得ない」とあなたは思うが、失敗は当たり前だ。陰謀を「騙された」と言い換えれば、あなたの失敗はもっとよくある話になる。

成功を持続している人など、わずかしかいない。それがどれくらいの確率かは不明だが、大成功しても早世した有名人もいる。

あなたの街のどこかの会社でも、「誰かにやられた。罠だ」と叫んでいる人がいる。その隣のビルにもいる。「陰謀」という言葉を使っていないだけだ。あなたにミスがなければ騙されたのだ。詐欺被害も含め、そんなことは日常茶飯事だ。

元日産のゴーン氏の事件は、日産の古い幹部たちの陰謀だと思っている。しかし、日産が巨大企業だったから目立っただけで、あのような出来事は、正直、学校でもある。部活でよくある光景だ。金が絡んでいないだけである。

彼が、世界中のビジネスマンの「神」のような存在だったことから、逃亡の手助けをする人間が現れて当然で、そちらを勉強したほうがいい。「なぜ、身を挺して彼を助けた人たちがいたのか」と。

悪口ばかり言ってないで、反対側から物事を見れば、本質もわかってくる。ゴーン氏を助けたいと思っている人たちがいた。彼らにとっては日産が悪かったのか、ゴーン氏がビジネス界の英雄だったのかだ。

このように、ムカつきながらも反対側から観察すると、あなたは「心が病んだ奴」と疑われることなく、もしかすると、冷静で知的な評論家になることもできるのだ。

「自分のせい」を認めない人たち

自分を責める人は他人に応援される

うまくいかないことを他人のせいにする。

先に言うが、この傾向がある性質の人間は長生きする。もっとも、虐待に遭った過去があるなどして、自殺してしまう人は別だ。それ以外の人たちである。

私は個人コンサル（コーチングとも言う）を通して何百の悩める人と会ってきたし、友人知人、一般人ではない人も含め、多くの人たちの特別な話を聞いてきた。

彼ら彼女らは、自分が「できないこと」「才能がないこと」を他人のせいにするか、スルーしている。とても健康で、睡眠薬なども飲んでいない。

逆に、「なんで俺はこれができないんだ。前はできたのに」とか、「嫁がいないと忘れ物ばかりする」という些細なことから、**「自分が悪い」「自分の努力が足りない」「自分の集中力が足りない」と常日頃考えている人は、不健康だ。**不眠症になったり、そのミスをするたびに自問自答したりして苦悩する。

しかし、それを見ている友人、恋人たちは、応援をしてくれる。

私は部屋を慌てて出る癖がずっとある。思い付いたら、「あ、出掛けよう」と立ち上がるタイプだから、財布まで忘れる体たらく。

そう、忘れ物が多い。それを「最近歳だからかな」と言ったら、「そんなはずないでしょ。昔からじゃない。私もあるし」と女子が言ってくれる。

逆に「お前が出掛ける前に言ってくれなかったからだ」と、恋人や妻のせいにする男は、彼女たちにリスペクトされることもなく、やがて愛想をつかされる。

そこまで日本人は頭が悪いのか

新型コロナ禍に、政治不信が広まっている。私も、この失策の数々は自民党(政府)

の責任だと思っている。

しかし、ここでは少し視点を変えて言うが、日本人の民度はどうか。

Go To トラベルについては、私は賛成だった。

ただし、それは日本人の民度を信じていたからだ。旅先で海でも見ながらゆっくりしていたら、新型コロナが蔓延することはない。しかも、旅行業界も潤う。

ところが、感染者の少ない観光地で、東京から観光にきた人たちがコンパニオンを呼んで宴会。砂浜で路上飲み。お洒落な店でマスクを外して、おしゃべり三昧。

Go To トラベルの注意点に、「旅先でもおしゃべりするときはマスクをすること」と書かないといけなかったのだろうか。そこまで日本人は頭が悪いのか。

私は自民党の新型コロナ対策のほとんどが、「(当初は)**日本人の民度を評価し過ぎた結果の失敗」**だったと思っている。特別な注意をしたり罰則・罰金を設けたりしなくても言う通りにしてくれるし、当たり前のマナーを守るのが日本人だ。そう麻生太郎氏らが言っていた可能性がある。

彼は見えないところでは、きちんと日本の良いところを演説している。二十四時間使える自動販売機がどこの町にもあるのは日本だけ。日本は素晴らしい国だ！　他国なら、中のお金や飲み物はあっという間に盗まれる。麻生氏はそんな熱弁もしていた。口の悪い正論や失言だけをマスメディアが取り上げているのだ。

さて、小池都知事が路上での飲酒を禁止すると言ったら、人々はそれさえも拒絶しているのだ。路上飲みなど、ハロウィンで問題になったほどの迷惑行為。ただのアル中かクソガキのすることだ。

それを「路上で飲む娯楽も奪うのか。ふざけるな」と怒っているのが、何もかも他人のせいにする能なしで、長生きすると思うぞ。

「部屋で飲めばいいじゃないか」
「部屋ではストレス発散にならないんだ。うるさい女房がいるし」
「友達と外で騒ぎたいんだ」

そういうことだろう。そうして本人は路上でストレスを発散。新型コロナをばら撒いて他人を犠牲にしていく。そして自分は新型コロナに感染しても、もともと健康だから長生きする。

新型コロナ禍は、私も含めた日本人のせい。あなたのせい。「俺が悪かった」と思えばよくて、そうすればあっという間にウイルスは消えていく。

ビジネスがうまくいかないのは、あなたに才能がないか、努力が足りないからだ。うまくやっている同期の彼、彼女らは、努力しているか、才能を使っている。そしてコミュニケーションがうまい。

コミュニケーション能力がない人間ほど、他人のせいにする。路上で飲みたがる人たちは、社会または時代とのコミュニケーションが取れないのだ。

日本は、本当は良い国なのだ

時代は変化する。

新型コロナの変異株がずっと世界を席巻し、ワクチンが追い付かない時代になるかもしれない。その時代に合わせないといけない。迎合ではない。これは命に関わる問題なのだ。**それを日本人の民度では理解できない。**

先日、岐阜に仕事で出向き、最近再開した写真を撮るために、素人のモデルさんを雇った。ロケ地に向かう最中、お互いマスクは取らない。往復四時間の車中。マスクを外したのは数分しかなかった。

撮影するときは、もちろんモデルさんはマスクを取る。しかし私がマスクを取り忘れてカメラのファインダーが気温の差で曇ってしまい、苛立つことがあった。モデルさんと私は離れているからマスクを外してカメラを構えればいいのに、万が一のことを考えてマスクをしたまま撮影しようと決めていたからだ。

ところがそれは不可能だった。だが、私は知らない女子に万が一のことがあったらと思い、マスクをなるべく外さなかった。

先に触れたドイツに在住しているピアニストの女性が、先日、頭痛や痛みに効く生薬をプレゼントしてくれた。東京オペラシティのリサイタルでは、ファンとの交流は禁止。楽屋にも立ち入り禁止。それでも帰国する前に私にプレゼントがあるから渡したいと、さいたま市まで来てくれた。

彼女がどうしても私にそれを渡したかったのは、私と同じ痛み止め薬のアレルギーがあったからだ。生薬ではアレルギーは起こらないのだ。

しかし、駅前のドトールに入るわけにはいかない。万が一、新型コロナに感染したらドイツに帰国できなくなる。ドイツに在住している人妻を高級ホテルに泊めさせて、そこでお土産をもらうのも変。

そう思った私は、車の中を抗菌コート&除菌した。そこに彼女に来てもらい、お互いにずっとマスクをしたままプレゼントをもらった。彼女は無事、帰国している。ちなみに、短期間だが抗菌加工が新型コロナにわりと有効なのも調べておいた。

そこまで**徹底的に、「新型コロナを蔓延させない」と考えている私と、「路上飲みを禁止するな」というバカとを一緒にされてしまったことに、私は怒っている。**

このような件に関しては、私は賢者。彼らは愚人。愚人だらけの日本で新型コロナは終息しない。

ただし、こうしてほかの日本人のせいにしているが、私が海外に行ったら、「日本人が五輪開催のために不愉快な思いをさせてすみませんでした」と謝ると思う。

話は最後に逸れてしまうが、これはリーダーシップの姿勢だ。

ある社員が失敗して、上司と一緒に取引先に謝罪に行く。道中、社員は失敗の原因をほかの人のせいにしている。取引先を前に、代表して謝罪したのは上司。上司が普段も優しい人柄なら、リスペクトされるだろう。

私は日本人の代表ではないが、海外に行ったときに日本人の失敗を揶揄されたら謝るし、その揶揄が間違っていたら、きちんと説明する。某国のように一方的な攻撃しかしてこない国には行かないが……。

そう、ある国で笑われた。

「日本人はなぜ英語が話せない人が多いのか」

「悪いけど、この国とは違い、英語ができなくても仕事がいっぱいあるからなんだ」

「なんて素晴らしい国なんだ。私も日本で働きたい」

「円と挨拶の言葉を覚えるだけで、今の仕事よりも稼げますよ」

日本は本当は良い国なのだ。
長く続く平和ボケと、新型コロナ禍でパニックになっているだけかもしれない。

世の中の矛盾に疑問を抱かない人たち

日本人のほとんどが病んでいる

陰謀論を語る男や拝金主義者、超合理主義者、そして炎上商法を得意にしている男女などに憧れる人間には共通点がある。

「病んでいる」ということだ。

終了である。もうほかに言うことなどない。

先日も、無人駅で車椅子での乗車を拒否されたと騒いだ女性がいた。無人駅に職員を派遣するのにどれくらいコストがかかるのかわからないのが、病んでいるということだ。

そもそも、コスト削減のために、無人駅になっているということだ。数少ない車椅子の人のためだけに、職員を置くわけにはいかない。これは差別うんぬん、正しい、正しくないではなく、仕方のないことだ。

病んでいる傾向にはまだ共通点がある。対象が陰謀論、拝金主義、超合理主義、炎上商法、伝統軽視、皇室批判などを汚い言葉で発信している人物であっても、**「お金持ちならOK!」**ということだ。結局はお金に対する執着心が、多くの人を傷つける理論や、妄想を語っている人間もリスペクトしてしまう結果につながってしまう。

日本人の、ほとんどが病んでいる。

私のように厭世的に病んでしまっているのはさほど迷惑は掛けないが、虐めを繰り返す少年少女、不倫やスキャンダルを叩き続ける大人たち、クレーマーだらけのネットの世界、相手が自殺するまで中傷する人たち。

過剰な言葉狩り(「女優」を「俳優」に変える必要性がわからない。「AV女優」が「AV俳優」になるのも時間の問題か)。アメリカの「woman」をなくすポリコレの流れに乗っているのだが、日本語には日本語の良さがある。これでは川端康成が日本の良さを描いてノーベル文学賞を取った意味がなくなる。

私が気をつけているのは、「女性」の表現だ。批判的に書くときは「女」。それ以外は「女子」「女性」。特別な場面では「オンナ」としている。

看護婦さんを「看護師」と書かないといけないとなると、「看護師の女性」となり、文字数が増える。意味はわかるが、非常に迷惑で不合理なのだ。最近は「嫁」と言ってはいけなくなったらしい。「お嫁さんに行きたい」という言葉が殺されるということだ。呆れてものも言えない。サッカーフランス代表の選手による日本人差別問題で、ひろゆき氏を論破した言語学者の小島剛一氏。彼も、言葉狩り、ポリコレは反対だと言っていた。

作家の一人として、「良い言葉」「日本的な言葉」「優しい響きの言葉」を狩られていくのは、悔しくて涙が出てくるほどなのだ。私は昨日まで日本を愛していた。その中に、日本的な情感のある穏やかな言葉があった。それが潰されている。

みんな社会の矛盾に疲れている

つまり、世界的に病んでいるわけだが、日本は特に、**社会改良計画に対しては欧米の真似をすることで、自国の良さをどんどんなくしてしまってきた。**一方で、海外で「これはＯＫ」とされていることを、積極的に取り入れようとすることもない。

例えば、大麻、モザイクなしポルノ。

日本で上映する欧州の文芸恋愛映画のセックスシーンに大きなボカシが入っていて、わざわざ無修正のフランス語のブルーレイを買うなんてことを昔はよくやっていた。物語と台詞を覚えて、見直すのだ。

病んでいる人たちは、これら、社会改良の矛盾、無理強いにも疲れてしまっている。

その証拠に、病んでいる人たちが「女性」「女」「女子」を区別することはない。「女」としか言わない。

世の中の変化と矛盾、偽善に疑問を抱く能力も失ったから、「東日本大震災の津波は人工」という話にも夢中になる。そして、疲れて仕事をしたくないから、それら陰謀論で儲けている人間たちを崇拝する、という三段論法だが、これが正解の一つだ。

一、世界と時代の矛盾や無理強いに疲れた
二、病んでしまって仕事をしなくなった
三、安易に儲けている人たちに憧れる

こうした段階を踏んでいく。

私も疲れているが、**疲れても疲れなくてもヒトの寿命は最高で百歳**という決定事項がある。ストレスは避けているが、疲れは気にしないようにしている。

陰謀論を語って、炎上商法をしながら女をどんどん変えていったら五百歳まで生きるとか、全知全能になれる、というならやってもいいが、そんな褒美はないわけで、六十歳を待たずに孤立するか自殺しているかでしょう。

それでもいいと言うなら、私は「君たちはそれでいいよ」と答える。

男なら、会うお金持ち会うお金持ちに、「尊敬している」と媚び、人を踏み台にして、一時、高級車に乗り、高級ホテルに美女たちを集めてセックスなどの快楽三昧。それが一年で終わるにしても五年以上続くにしても、「隠れてすればいい」と思っている。私の持論だが、「快楽は人様に迷惑を掛けなければいい」のだ。

ただし、これは病んでいない人だけができることだ。病んでしまった人たちは快楽自慢が不愉快なのを自覚できないから、他人に快楽の様子を晒(さら)す。私にもそんな時期が一年か二年あったが、アンチが増殖してすぐにやめた。「馬券を買って高級ホテルに女子といるという話は、聞く人にとっては不愉快なんだ」とわかった。話さないか、場末のスナックの五十代のママに言えばいいのだ。

また、**超合理主義は自分本位で、他人の時間を奪うのだ。**

本当かどうかわからないが、こんな話がある。

あるビジネス啓発書の売れっ子作家（もちろん超合理主義）が、「新幹線の中で仕事をするから君も来てくれ」と編集者に言った。新幹線の東京から大阪までの間にボイスレコーダーに話を録音してもらい、それをゴーストライターに文章化してもらうというわけだ。取り巻きの編集者は数人いて、「何月何日に来い」と命令。もちろんライターもだ。

彼にしてみれば、仕事がさっさと済むから合理的だが、付き合う相手の予定は無視。それが病んでいるというのだ。

一般的な人たちの間でも、これら相手の時間を奪う「病み行動」が横行している。LINEがそうだ。既読しても返信しない。五分で済む話でも絶対に通話はしない。すべて自分の都合に過ぎなくて、深夜に「LINEだからいいでしょ」と他愛もない話を送ってくる。

「私は病んでいないか」を自問せよ

私は快楽、快適が大好きだから、キラキラネームも含め、反社会的な行動は極力とらない。「極力」と書いたのも、あげ足を取るクレーマーが多いからである。

お金持ちに憧れるなら、**億万長者かもしれないけれど、その様子をほとんど見せない有名人に憧れたらどうなのか**。私が好きな倉木麻衣さんがそう。見た目も歌も好きだが、彼女が豪遊している姿を見せている様子などあまり見ない。

羽生善治先生や、昔で言うと高倉健さんもそうだ。快楽主義者の哲学書で名を馳せた澁澤龍彦氏も、その快楽の話は今では発禁ギリギリの文章もあるが、自分が快楽を楽しんでいる様子を見せることはほとんどなかった。

「裏で快楽に耽っていて、それを見せないのは偽善じゃないか」と思った男もいるでしょう。お前たちは、一日二回オナニーしているのをいちいち晒すのか。犯罪じゃなければ、見えない場所での快楽三昧はいいんだよ。

日本人の半数は軽い統合失調症になっていると言われている。抗鬱剤の消費量を見ても明白だ。その人たちと、そうじゃない人たちの溝はなかなか埋まらない。それが犯罪や裏切りにもつながってしまう。寿命や成功にも関わってしまう。

まず、**あなたがするべきことは、「私は病んでないか」と自問することだ。**

私は病んでいるよ。多分、しっかりした女性がいないとお金の使い方がめちゃくちゃになってしまう。あとは、自分は永久に「若い」と思っていたのに、新型コロナで自粛したら老け込んだ。永遠の精力、筋力、スタミナに憧れているが、陰謀論や時代の寵児には興味ない。

お金の話しかしない人たち

進化と保守

進化を信じると名言することは、実はリベラルで非宗教的な文化への忠誠心の表明であり、逆に信じないと明言することは、保守的で宗教的な文化への忠誠心の表明にほかならない。

スティーブン・ピンカー『21世紀の啓蒙』（下）より

スティーブン・ピンカーは『暴力の人類史』（幾島幸子・塩原通緒訳／青土社）では人格者的に平等で両立を保った文章を書いていたが、『21世紀の啓蒙』（橘明美・坂田雪子訳／草思社）では、トランプ大統領を叩く一文が多く、偏った政治思想を持っていることがよくわかった。

それを晒してしまったら、私の持論と統計学に基づく理論の説得力が薄らぐが、知識家として世界屈指なのは認めているので、冒頭、良い言葉を引用した。

例えば、ネットビジネスの超合理的な行動に、保守的な要素などほとんどない。大半がリベラルな人間で、自分を含めた人間を進化した優秀な者だと信じている。だから、最先端のPCやデバイスを駆使している。

一方、保守的な文化を信じる人はどうか。事例が右寄りにならないように、動物愛護で考えたい。

動物を守る、つまり自然環境を守りたいと考える人は、保守的な人が多い。動物と共存することは、古い文化の象徴だし、宗教的にも動物を信仰していたことは日本でも多々あった。

とはいえ、先に釘を刺しておくが、それを**活動的にやり始めるとリベラルになっていく**。自然環境のために、「車をすべて電気自動車にしろ」という行動だ。難しい問題だが、この場合は「考え方は保守的でやっていることがリベラル的」と言える。

趣味の範囲、または、自分の手の届く範囲での活動は、政治活動とは違い、社会に悪影響は与えない。ただし、問題によっては自分に悪影響が返ってくることがあるから、言葉遣いなどには気を付けるのが賢明だ。

動物で言うと、熊の駆除の問題は、動物愛護団体からの抗議が来る。ほかにも私のような保守的な人間からは、「人間が彼らの棲み処を奪ったからだ」という定番の台詞が叫ばれる。

それを声高に言うか言わないかで、本当はリベラルか保守かの区別が付くのだと私は考える。

私は車の運転中、山道で何度も狸や狐、鹿などを轢(ひ)きかけた。そのときに車の中で「すまんな。こんな所に俺たちが道路を造って」と思う。だが、それを活動的にネットに書き殴ったりはしない。

これによって、私はおとなしい保守的な人間だと言える。動物を愛しているが、両立的な立場を取れる。

人間が、環境を破壊し、熊の食べ物を減らしてしまったとしても、熊が攻撃をしてきたら戦うべきだと思っている。こちらには守るべき子供たちもいる。熊の駆除には賛成で、射殺も賛成で、それはわれわれが生きていくためであり、それも「共存」の一種だと思っている。

人間が進化しているとは認めない

熊を駆除せずに山に返し、人がいる街中に降りてこない方法を考える。そんなこともできない人間を、私は「進化」した優秀な生き物だとは露ほどにも思わない。**単純に駆除するという昔ながらのやり方の、どこが進化、進歩だというのか。**

要は、熱心に考えていないということだ。

猟友会がではなく、国が、だ。

地球温暖化対策のために、政府はすべての新車の電動化を二〇三〇年代半ばまでに実現すると掲げている。また原発に関しても、国は熱心に稼働させ、安全性を訴え、莫大な税金を投入している。

一方、熊をどうするかにお金なんかかけないのだ。逆に言えば、お金にならないからだ。

熊たちが、山から人のいる街中に降りてこないために、税金を投入し、北海道の町の人たちを救ったところで、どこかの大手製薬会社が儲かるわけでも、北海道に観光客が殺到するわけでもない。冬なら、スキー客と流氷を見にやってくる人しかいないかもしれない。地価が、爆発的に上がることもないだろう。

だから、熊対策の知恵を絞らない。「人間は知恵があり、頭は良いようだがご都合主義で、利己的で、その人間性が進化しているとはあまり思えない」というのが私の結論だ。


人類は十九世紀まで、それはそれはひどい生き物だった。

人間という悪魔は、殺し合いに終始し、愛し合うことはほとんどなかった。憎しみ合うことが初めの一歩だ。

先ほどチンパンジーのセックスは時間が短いと書いた。「セックス」とひと言入れてよく軽蔑されるが、人が愛し合うことができたのは、セックスを長い時間できるからだ。それに気づいた夫婦は、今で言うセックスレスがなく円満な家庭を築いて、われわれをこの世に送ってくれた。

そこは進化したわけで、だからセックスの話が多くなるのだ。ヒトとほかの動物との大きな違いは、言語とセックスということだ。その問題を、あなたたち日本人は軽視している。欧米の圧力にも負けている。

話を戻すと、十九世紀までは人間にとって動物も食用か虐待ショーのためのものだった。仲良くしていたのは、一部宗教が信仰していた動物。日本なら、狂犬病の不安が出る前のニホンオオカミなど。外国では、ペストが流行ったときに大活躍した猫などである。

今、そのニホンオオカミは絶滅し、猫はペットショップのガラスケースの中にいる。もし、**人間がヒトとしてその人間性も進化しているなら、猫や犬を一家に一匹買うことを義務付けるべきだ**（動物アレルギーがある人は除く）。そのために税金で補助金を支給するくらいじゃないと、私は人間性の進化を認めない。ペットショップをなくせない時点で、認めていない。

動物は好きだが襲ってきたら殺す

私は、**自分が未経験のことを、あまり饒舌には語らない主義だ。**

若い頃、ニホンオオカミに憧れていた私は、「まだ生き残っている可能性がある」と紀伊半島の山中に入っていった。南紀白浜の古座（こざ）という町からだ。

大自然が大好きで、動物が好きで、川や滝にいる魚を見るのが好きな私は、途中、滝つぼで泳いでいる地元の少女を見て、「ポートレートもいいな」と思った。それがポートレートを撮るようになるきっかけだった。それまでは、清流の写真を撮影していた。

滝を越えると、もう道はほとんどなく、幻の滝があるらしい山奥に徒歩でどんどん入っていった。

その前週から雨量がなく、幻の滝にはチョロチョロとしか水が落ちていなくて、だが、オオサンショウウオの子供がいた。

「すごい場所だ。もっともっと奥に行けば、オオカミの足跡が見つかるかもしれない」と興奮していた私の前に現れたのが、オオカミではなくなんと熊。風が吹いていないのに川の脇の草木が揺れた瞬間、川に熊がいるのが見えた。

「逃げろ。俺が見張っている」

当時付き合っていた彼女にそう言って、先に行かせた。熊は幸い、私たちに気づかなかったのか、川で魚を探していた。だが、それは空腹ということだ。意外と小柄に見えたから、「こっちに走ってきたら戦うしかないな。命と引き換えにしたらなんとかなりそうだ」と考えながら、少しずつ、私も道なき道を降りていった。

私は動物が大好きで、動物愛護の精神を持っているのに、彼らが襲ったら殺す、と考えたという話だ。

納得していただけただろうか。私は、**それが人間のごく当たり前の行動、進化だと思っている**。危害を加えない動物とは仲良く、そうじゃない動物とはケンカをする。そして、金のために無駄に狩猟などはしない。毛皮のためだ。

なぜ、人間は優しくなれないのか

人間が、地球上最も優れた、そして優しい生き物になれないのは、実は「お金のせい」だと思っている。宗教的なことでも悪癖はあるが、最大宗教のキリスト教も、北米アメリカが主なのだから、何ら反論はできないだろう。アメリカは資本主義社会の大国なのだから。

お金のせいで、友情はなくなり、恋人同士は引き裂かれ、夫婦は離婚し、さまざまな憎悪が生まれる。東京五輪が金に汚れたスポーツの祭典なのは言うまでもなく、あなたたちの中にも五輪に憎しみを抱いた人がいるだろう。金は、人に裕福な生活を与えるが、それがなくなった瞬間に憎悪を与え、その憎悪を与える機会のほうが遥かに多いのだ。

その社会を提案し続けるのが、「自分こそ進化した新しい人間!」と思い上がっているい人たちである。

金が動くだけの政治腐敗。

拝金主義に走る若者たち。

この二点を修正しなければ、ヒトはこれ以上の進化はしない。もちろん、動物との共存もできないし、自然破壊も止められない。


「里中李生は丸くなった」と、よく言われる。

そんなことはない。この話を読めばわかるだろう。私は物書きになる以前から、紀伊半島や秩父の山奥にニホンオオカミを探しに行く青年だったのだ。私の本質は、「愛」「命」「快楽」であり、その快楽を得るために、少しお金が必要なだけに過ぎない。

本が何百万部も売れたのは、たくさんの人のアドバイスや優秀な編集者のおかげであり、ほかの仕事もマルチにできたのは単純に私の才能である。

金儲けなど、計画的にやっても良いことはない。

愛すべきペットを守るためにお金が必要だから稼がないといけないし、結婚して生活を維持するためにも稼がないといけない。私なら、車は必要不可欠だ。その車も軽自動車では仕事にならない。

だから、そのためのお金が私には必要で、あなたたちに「億万長者になれ」とは書いたことがない。

お金持ちになりたいと思い、そのビジネスに着手したときに**あなたの口から最初に出てくるのは、愛の言葉でも友情の言葉でも、その日の天気の言葉でもなく、「お金の取り分」の話だ。**

それは退化と言っておく。そして醜いとも言っておく。

歴史を学ばない人たち

人間だけができること

先日、久しぶりに映画『アマデウス』を自宅で観た。時代背景は簡単で、フランス革命の十八世紀。その描写は映画にはないが、精神病棟がメインのように出てくる。

サリエリが入院していた施設だ。それまでは、今でいう統合失調症やアルコール中毒、薬物中毒の人間は死ぬまで監禁して放置。十八世紀から「治療」をするようになった。サリエリがその治療（カウンセリング）を神父から受けているシーンから始まる。

戦争はしていたし、黒人奴隷が始まったともいわれる時代だが、少々、「人権」が欧州で生まれてきた頃とも言える。

日本のその頃にはあまり興味ないが、いちばん有名なのは『忠臣蔵』かな。興味がないというと語弊があるかもしれないが、他国でもあることだと思うが、美談にされている出来事が多い。今ではタブーとして隠されているように思えて、映画や本を読んでいてもピンとこないのだ。

私は恋愛観が欧州寄りで、映画で言うと、性描写があるなしに関係なく欧州の映画、または欧州と米国合作の恋愛映画は食い入るように観てしまう男だ。

その頃から、日本の歴史に興味がなくなってきた。とはいえ、恋愛論の執筆もしているから、混浴の文化とかを調べるし、それは素敵だし、小さな島国独特の闇の（セックスの）歴史もある。まあ、きっとそれを隠しているということだ。

人間は「過去を調べる」唯一の生き物だ。

前置きが長くなったが、チンパンジーが自分たちの祖先の歴史を考えるようになったら、突然、進化を始めるかもしれない。オス猫が、交尾したメス猫の元カレ（元オス猫）のことを気にしているはずもない。ヒトだけは、相手の過去も気にする。

私の場合、相手が女子であれば「すぐ嘘をつく人」「嘘をつきながら生きている人」

「騙している人」が嫌いで、苦手なのが「空気が読めない人」となる。

過去は気にしないが、やはり人間だから聞く。それで「男を騙してきた様子はないな」と思ったら、元カレたちとの過去は気にしない。


「私、変態なんだ」

「ほう」

「それを正直に言うと、男に嫌われるんだ」

「嘘は言わないんだね」

「だって変態なんだもん。ノーマルなセックスだけじゃ、つまんなくて付き合えないよね。都内のSMホテルを全部知ってる。そこでずっと調教されてたんだけど、彼がお金がなくなってホテルに行けなくなったの。アパートでやってたら近所から苦情が来てアパートから追い出された。それで彼と別れたんだ。寂しい」

「合格だよ」


例え話だが、私の場合はこうなるのだ。そんな女子とは会ったことがないが。

人類の歴史は長い。

それぞれの人種の遺伝子が、あなたの性質に大きく影響を及ぼしている。

日本という国家は神武天皇が創始して以来、二千五百年以上の歴史を持つ、君主国家としては世界一の長寿国家だ。二位がデンマークで約千年。

日本ではその前にも神話があり、それが神話とはいえ、本当の話だったら、大変な歴史になってしまう。まさに唯一無二。戦国時代のようなことがあったが、基本的に国が分裂したりしていない。

また、琉球王国の沖縄県への移行など和解が多く、武力による統治もない。その歴史の遺伝子が、「憲法九条の改正」を拒むのだろう。

無論、直近の衝撃が最も脳に影響を与えるから、「敗戦」が日本人の不道徳、劣等感、虐め、騙し合いなどのエネルギーになっていることに間違いはない。東京五輪強行はまさに戦争のやり方と同じ。新型コロナワクチン接種の強要も、「本人の自由」と言いながら、打たない人は差別されるようになり、ワクチンが完璧にならない限りはそれも当たり前の時代が来るだろう。この陰湿な性根は敗戦の屈辱が生んだものと私は思っている。

知識とは人に自慢するためのものではない

他国も含め、**歴史を学んだり興味を持ったりしたときに、あなたの才能が目覚めるかもしれない**。

私の場合は、欧州を含めたフランス文化、文学だ。そこで私の恋愛観は変わった。才能が目覚めたかどうかはともかく、口調もストレートになったものだ。フランスの人種差別主義は反面教師になった。良いことだらけだ。

知識というのは、人に自慢するためにあるものではなく、自分の才能を開花させるために必要なのだ。そのために絶対に学ばないといけないのが、歴史だ。これはヒトの証なのだ。**あなたはチンパンジーか人間か。本書の隠しテーマの一つだ。**

先ほど、俗っぽくＳＭの会話を混ぜた。

読ませるためだが、これもヒトの証。どこにメスを亀甲縛りしてセックスするチンパンジーがいるのか。それ以外のＳＭプレイもフェチも、明らかに人間だけのものだ。

「好き」と「欲しい」にも大きな差がある。私たちヒトには「好き」がいっぱいあり、それがすべて「欲しい」ではない。だが、動物は、「好き」が少なく、あるいはなく、「欲しい」だけである。

性の話に戻すと、唯一、コスプレがヒト以外にもある。自らの体の色を変えたり、大きさを変えたりしてメスやオスを惹き付ける動物、鳥類がいる。これをコスプレの一種だとしたら、その動物たちを超えるこだわったコスプレをすれば、よりあなたは人間らしくなる。まあ、孔雀の一種にそこまで対抗する必要はないがね。

ヒトの進化には、セックスで道具を使うことも含まれるが、ほかに、音楽を創る、性器を隠すために服を着る、文字を書く（言語を使う）、その文字を読解する、墓を作る、神様を創造する、などがある。

その中で、作曲をするなどの特別な才能が必要なことを除いて、それができない、しようとしない人は、チンパンジーに近いのだ。残念だ。

いのだ。

一七〇〇年代に何があったか。細かく覚えろと言っているのではない。大雑把（おおざっぱ）でいいのだ。

東京五輪の関係者に、ホロコーストをお笑いの芸に使っていた人がいて、開幕直前で辞任になった。もし、彼がホロコーストとは何か知っていたら、それをギャグに使うことはあり得ない。呼び名だけ知っていて、何があったかも知っていても、その背景、その残虐（ざんぎゃく）さ、それまでユダヤ人を虫けらのように殺していたことを少しでも想像でき、悲しむことができたら、お笑いのネタにはできまい。つまり、世界中の人々が忌み嫌うことに対する知識不足が招いた失敗だったのだ。

歴史を知れば人類の進化がわかる

人類の歴史を学んでいるうちに、自分がいかに愚かか、または優秀か、優秀に近いか、良い進化をしているか、それもわかる。

新型コロナが襲来してきたときに、スペイン風邪のことを思い出した。私は十九世紀の画家が好きだから、その頃に世界を襲ったスペイン風邪と新型コロナの蔓延の様子が酷似していることがわかった。

だが、その知識は私がうんちくを垂れるために覚えたものではない。エゴン・シーレという画家が好きで、「なんであの天才画家は早世したのかな」と思って調べただけだ。

死者数は五千万人から一億人以上。そのスペイン風邪は勝手に終息した。宿主たる人が減ったうえに、残った人は免疫を獲得したからだ。

当時は第一次世界大戦だったのもある。今の時代に大戦はない。宿主になる人間は頑張って生存している。新型コロナウイルスは変異してまた新しくなっていく。ワクチンは追い付かない。**私の歴史を学んだ知識はそれを教えてくれる。**

絶望的だが、日本人は大ピンチになると、恐らくマスク、消毒などを徹底するようになり、自己防衛を始めると思う。新型コロナの致死率が低いから、バカにしているのが現状なのだ。

インドで、新型コロナウイルスの変異株が猛威を振るっている。デルタ株だ。二〇二一年八月の今、ワクチンは、デルタ株の感染を防止できているとは言えない。重症化は防いでいるようだが、効果が薄れる半年後にまた打たないといけないかもしれない。

スペイン風邪は、第一次世界大戦で、多くの若者たちがケガや食料不足で弱っていた。だからあっという間に感染し、すぐに亡くなった。だから終息した。

死者が増えれば終息する。または、変異する前にワクチンで手を打つ。日本は島国だから鎖国的に対応する。それしかない。

権力者の奴隷になってしまう人たち

二〇二一年、結果はどうなったか

新型コロナが流行を始めた頃に「ただの風邪だ」「根性で治る」とか叫んでいた著名人がいた。理論武装したステレオタイプはこんなときに大活躍して人気者になるものだが、サイコパスの一面を持っている魅力的な男なのだろう（サイコパスはほとんどが男だから、男と書いた）。

サイコパスがなぜ魅力的なのか、わざわざ説明することもない。一瞬で判断し、人を殺す行動力がそう見えるのだ。人を殺さない場面なら、「無感情でかっこいいな」と思われる。

無感情なのだが、冷酷ということだ。理論武装した著名人、偉人たちは総じて冷酷なのだ。それが若者たちや、お金が好きな女たちを熱狂させる。彼らのせいで、新型コロナは終息が遅れていると言っても過言ではない。

新型コロナ対策は、安倍政権から菅政権に代わって、ますますひどくなった。だが、**初動が遅れたのは、「新型コロナはただの風邪」と言ったそのサイコパスカリスマたちの影響もある。**マスクをせずに、または三密も無視してイベントを開く彼らに憧れ、洗脳されている若者たちも大勢いた。

これら著名人のほとんどが、戦争が好きな人たちだった。「尖閣諸島なんかいらない」とか「日本の天皇（皇室）が大嫌い」という人たちだ。または好き嫌いはともかく、日本の戦争が侵略戦争だったのか、そうじゃないかを議論していた。

「新型コロナはただの風邪」と言っていた著名人たちはどうした。今でも言っているが、話題になっていないのか。

私は早くから、違うと言っていた。

一、新型コロナの特効薬が売っていない以上、「ただの風邪」と煽るのは良くない
二、スペイン風邪と同じ威力かもしれない

嘘だと思うなら、私のブログを読んでもらいたい。

私はいつでも「正しい」。善悪の定義は時代によって変わる。それもきちんと見ている。内心、激昂(げっこう)していても感情論的には語らない。

私は保守派だ。友人に自民党党員がいるから、今から入党してもいい。それくらいだが、菅政権は最悪だと断言する。

感情的な保守、自民党派は、何があっても自民党を支持する。東京五輪の件で言うと、反対派は感情的なアンチ自民党だと言える。このように、「感情的だ」と冷静に言えば、とても聞こえが良くかっこいいから、それに同意する人たちも増える。

「ただの風邪」と言っていた著名人たちも、うろたえる国民に「お前ら感情的でバカだな。こんなのただの風邪。落ち着けよ。栄養を摂って免疫を付けてればいいんだよ」という言葉をよく作っていた。

「ただの風邪。湘南に集まってもイベントを決行しても大丈夫」
冷静を装い言っていた。「お前たちは本当にバカだな。ただの風邪なのに」という
ものの言い方だ。「感情的」と言われた彼ら彼女らは、「私たちは感情的じゃない」と
考え、感情的になり、街や観光地に繰り出した。

二〇二一年。
さあ、結果はどうなった。
医療崩壊が叫ばれ、全国で毎日数多くの人が亡くなっている。
安倍政権の失敗もあったが、「ただの風邪」という言葉を今はもう聞かないじゃな
いか。そう言っていた著名人たちは、どう責任を取るのか。「ただの風邪」と言いな
がら、さっと、ワクチンを打った男もいた。
新型コロナに感染後、肺炎とは違う病気を発症し、死に至る人も多い。医療崩壊し
ていない現場でも亡くなっている人たちがいる。それはわずかな人数かもしれない
が、「ただの風邪」という言葉を一年弱も流行らせた責任は大きい。

勘違いの歴史を抑えることができていた

私のような人間は、正しくない拝金主義者たちに淘汰されていく。拝金主義者たちの中には当然、政治家たちもいる。

自民党派のネットの人気者たちが言う。「新型コロナで東京五輪を中止したときの経済の損失は計り知れない。それを知らないで感情的に五輪を中止しろなんて、〇〇としか言えない」。伏せた部分は相手を軽蔑する言葉だ。

東京五輪を中止にしていた場合のダメージを知らない人も多いかもしれない。スポンサーのダメージ、賠償金のようなもの（事例がほとんどないからＩＯＣに支払う金を賠償金というのか、違う言葉があるのかよくわからない）、延期するとしたら会場などの維持費、使わなくなった会場の維持費、または取り壊し作業費……これらを合計した経済損失はおよそ一兆円を超えていただろう。

ただし、「だから東京オリンピックを中止にしたら日本は潰れてしまう」と、政府与党も小池都知事も言わないのだ。「世界の笑いものになる」とか、そんな言葉しか発信しない。

政府は、東京五輪を中止にしたらそうなることくらいわかっていた。なのに、一年間、まともな対策も取らずに、自分たちは会食三昧。聖火リレーで移動していて、聖火リレーの関係者の中に感染者がいて、その人も会食して感染を拡大させている。なのに国民には、「会食をするな」「自粛しろ」「移動するな」と言う矛盾。

これに対して怒ることは、決して「感情的」ではない。

「給料は出せないけど、働いてくれないか」と会社に言われたら?

「だけど、俺たちは管理職の報酬は受け取る。お前たちは平社員だから給料は出ないが、死ぬまで働いてくれよ」と言われて、「はい。わかりました」という人がいるのか。

それに対して、「僕は会社の、あなたの奴隷ではありません」と反発したら、「君は感情的な男だな。ケンカを売るのか」と上から目線で軽蔑する。極端に言うと、それが社会国家の歴史だ。

頭を使ったり、権力、財力を使ったり、人をコントロール、または支配したりすることが善であり、知性的だと勘違いした長い人類の歴史がまだ残っていた。残っていることを知ってもいた。それをある程度、日本は抑えていた。新型コロナが来るまでは。

読書をしろ、知識を得よ

お金持ちや時代の寵児といわれる男たちに、「バカ」と言われて委縮してしまうようでは、あなたは本当の「自分」にはなれない。一生、権力者とお金持ちたちの奴隷だ。

では、あなたはどうすれば、その劣等感や失敗や、まさに感情的な言葉を止めることができるのか。

まずは読書をすることだ。

せめて、知識を得よ。

私は本書で、東京五輪強行開催を「まるでインパール作戦だ」と書いた。五輪賛成派からは「なんて感情的な極論なんだ」と軽蔑されると思うが、インパール作戦を知っているか。

知っているだけで、誰が亡くなったかといった詳細はいいのだ。**どんな出来事だったか。それだけでいいのだ。**

誰かと会う前に、その人とどんな会話になるか、最低限に知識を持っておく。

「君の名前はギリシャ神話の女神から取ってるね」
「バンザイクリフに行ったことがあるから、良いお芝居ができたね」
「川や滝はこうやって撮影するんだ」
「君の彼女は自殺する遺伝子があるかもしれないから、悲しませないように」(後に本当に彼女がそう言ったらしい)

これらは私が友人やモデルさん、読者に言った言葉だ。事前に調べたわけではなく、知っていたのがほとんどだが、事前に知識を得ておくのもベスト。

例えば、前項で触れたスペイン風邪の話。

「スペイン風邪は第一次世界大戦の頃。死者が大勢いて、ウイルスの宿主の人間がいなくなった。ロシアの人たちには免疫があった。死ななかった人はなんとか免疫を獲得した。それで終息した。今は戦争はなく、新型コロナは宿主を失わない。どんどん感染者が増えていく」

私はすぐにそう思った。そして、「ただの風邪」に反発していた。自粛していた。ボルダリングも休んだ。その結果、権力者と拝金主義者たちに負けた。筋肉が衰えてボルダリングは登れなくなってしまった。

落ちる看板、無駄に修復される道路

私が頑張って自粛していた時間は、「新型コロナはただの風邪」という人たちによって、無駄な時間となった。そこで私の考えは、東京五輪までの「一日、一日が大切」に変わった。

感情的ではない。ストレスで体調は悪化するし、セミナーも撮影もまともにできなくなった。皆さんもそうだと思うが、一年という膨大な時間は、命と同じように大切でしょう？　私は大いにそれを実感した。

「では、オリンピックを中止にし、自粛も解除した後の増税などを受け入れるのか」

私はこう反論するだろう。

「増税？　その前に死んでしまう。エンタメも。そして高笑いをするのは政治家たち。それを許すのが冷静なことなら、悪しき歴史の繰り返しだ」

道路工事は金になるからするが、老朽化した建造物は新しく直さない。大流行のSUVはちょっと道路が凹んでいただけで横転などしない。ゲリラ豪雨で冠水する道路だけを先に直しておけばいい。あと、老朽化した橋などだ。

あるアイドルの女性は、国が作った看板の下敷きになり、車椅子生活を余儀なくされている。看板は長い間管理されず、根本が腐っていたのだ。**きっとその看板の近くの道路はさかんに修復されているだろう**。

もし、日本が民主主義国家なら（見た目はそうだが、小池都知事らのやっていることは全体主義。民主主義とは違う）、選挙があるではないか。候補者の政党が公約を守るかどうかはわからないが、「増税はしない」という政党に投票すればいい。増税も工夫すればなんとかなる。余計な二重課税を廃止し、消費税は上げるとか。優秀な国ならさっとやっているはずだ。

優秀と言ったが、完璧な国などない。

ただ、日本は、ドイツ、オーストラリア、ニュージーランドなどに比べたら、遥かに無能だ。

女性を苦しめる人たち

男女はお互いが助け合うものだ

私の著作を始めて読む人に言っておくが、私は虫唾が走るほどフェミニズムが嫌いだ。憎悪さえ抱いている（ただし、私は攻撃的な活動はしません）。

フェミニズムの初動は立派だった。女性参政権を獲得したものだ。**嫌いだと言ったら、きちんと歴史を調べる。それが私の流儀でもある。**

「モザイク脳」など、研究する余地もないほどお金の無駄遣いなのに、「男女を同じ人間」にしたがるフェミニストの学者たちがずっと研究をしている。

「歴史的に見ても原理的に見ても、何から何まであり得ません」という問題を躍起になって研究する人間は、逆に異常である。「ペンギンの先祖はカバだ」と言うようなもんだ。「いや、鳥です」。

男女が同じ脳であり、同じ行動をとるべきだとする活動など、何らヒトの進化にもならない。

普通の女子であれば、特別な格闘技などをしていない限りは、男よりも力が弱い。腕力などだ。私はそれを少年時代から気づいていて、女性に優しくすることを実践してきた。初恋の子が危険な場所に向かうと止めたものだ。小学三年生の頃だ。

それが今の時代、**「女に優しくする」は女性差別だ、とか、「女を守る」を口にしたらダメだとか、これは、正直、女たちの歴史の劣等感にほかならない。**

これを聞いた一部の女子たちが猛抗議してくるが、長い人類の歴史の、特に男性が支配していた近代社会の歴史を見ればわかる。女たちには男たちに対する劣等感があり、それが「女を守るなんて言うな。バカにするな」という怒りにつながっているのは明白だ。

私が言っているのではない。男性社会の歴史の「すべて」を悪とした女たちが、「自立」という聞こえの良い言葉で装っている劣等感だ。「男に守られるのが嫌だ」なんて自惚れないでほしい。男女はお互いが助け合うものだ。

男たちも、「男女は同じ」にいい加減疲れてきている。「倒れた女性をAEDで助けるのは嫌だ」と言うようになったことで、それがわかる。

フェミニズムの活動は、あなたたち女性を逆に苦しめている。そして私のように、自然(本能的、または才能)と女性を守ろうとする男を激減させた。

新型コロナ禍で崩れる寸前のフェミニズム

では本題に入ろう。

新型コロナ禍で、女性のパートなどの実質的失業者が百万人を超えている(二〇二一年二月時点、野村総研調査)。実際には、一度辞めて、またパートを始めてまた辞めた、という重複もあると思うが、相当な数だ。「共働き崩壊」である。

共働きにしても、「男女共同参画」「女性も働く時代」(消費税を取るためですよ)、日本の経済を停滞させたまま男たちに会社を独占させないための思想的、政治的な戦略に過ぎない。実力があれば管理職に女性がいてもかまわないが、実力がある女性がいなくても、管理職の中に一定数の女性を入れないといけない。丸川五輪相を見ればわかるでしょう。どう考えても大臣の器じゃない。

そんな、フェミニズムの「わがまま」「やりたい放題」が、新型コロナ禍で崩れる寸前になっている。東京五輪で言うと、森喜朗氏の女性蔑視発言を受けて代わりに大会組織委員会の会長に就任したのが、元祖セクハラ女王の橋本聖子氏。五輪のイメージを良くするために入閣させたのが丸川五輪相で、小山田圭吾氏の問題への対応を見ても、その能力を疑ってしまう。小山田氏の件は調べるまでもなくわかっていたことだ。それを起用したのには別の圧力があり、彼女のせいではないのかもしれないが……。

私、一回総理大臣になれたとしたら、独裁ではないが自分と財務大臣で全部決めてしまって、国を正常にする自信がある。ユンケルを一日三本でいける。

私の知人男性に、仕事が終わった後、さらに夜勤のバイトに出掛けている人がいる。

彼の奥さんは体が弱く、仕事はできなく主婦業だ。主婦も立派な仕事だが、**子育てが終わった女性が面接で「ずっと主婦をしていて何もしてなかったんだね」と差別的な暴言を言われる時代にしたのも、フェミニズムである。**

新型コロナ禍で私も私の友人たちも困窮してきているが、フェミニストたちには良い薬になっている。要はこういうことだ。

- 女子は夜勤をしづらい
- 女子は道路工事のバイトも辛い
- 女性は生理があるから、連続して過酷な勤務もできない
- 女子がホームレスになると、身体面で男よりも辛い
- トラックの運転手や漁業をする女性も増えたと軽く言っているが、簡単ではない
- 危険な場所がある仕事では、会社は女子を雇いづらい
- 日雇い労働の募集に男と女が同時にやってきたら、会社は男を採用する（それは女

性差別ではない。会社も新型コロナ禍で死活問題なのだ）

美女と才能ある女性以外はダメ

私が言っていることは事実であり、女性を軽蔑しているのではない。女性たちを差別してきたのは、大昔は男たちだった。だが、今は同じ女たちだ。

わからないのだろうか。あなたが仮に「ブス」だとしよう。「ブス」という言葉はなぜ狩られないのか。そのうちに狩られるかもしれないが、ではインスタグラムの美女優遇はなぜ許されるのか。

あんなに露骨な「女のための美の産業」はない。ブスではフォロワーを増やすのにとても苦労する。もちろん男もだ。お金でも見せびらかさないとフォロワーは増えない。一方で、美女が毎日、自撮りの写メで健康的なエロスを見せながら投稿すれば、お金になっていく。それをフェミは黙認するという矛盾。

フェミニズムは、一部の能力のある女性と美女だけを地球上に残し、男たちを弱体化させ、残った大半の女性たちを淘汰するのが目的なのか。それは無意識かもしれないが、ポリコレをやっている企業を見たら、意識的だとわかる。わざとデブの女性を広告に採用したりするものだ。たまにね。それと似て異なる話で申し訳ないが、ナイキにはがっかりしている。新疆ウイグル問題だ。

仕方なく、主婦になったとしよう。

主婦という立派な職業には労働する男たちからの需要がある。疲労困憊になった夫が、ぐったりしながらでも夕食を食べられる生活環境をつくるのが、偉大な主婦。偉大としか言いようがない。

ところが夫を支えるために主婦になった女性を軽蔑するのも同期の女友達などで、そう、もう、「美女と才能がある女性以外はダメ」という時代をつくってしまったのだ。それが新型コロナ禍で判明してしまった。

シングルマザー手当でなんとかやっていける国だが、やはりパートはしないといけない。

定職に就け？　子供のお迎えは誰が行くのか。幼稚園なら午後三時くらいだ。

シングルマザー手当がなければ、離婚している若い女性は生きてはいけない。そこにある男が現れて、**「君を僕が守ってあげるよ。再婚しよう」と言ってきたときに、「守るなんて女性差別だ」と言い返す時代にしてしまい**、美女以外には、男も近寄らなくなった。

「協力しよう」とか「一緒に頑張ろう」とか、事務的な言葉か愛に満ちた言葉以外を口にしたらダメだから、とても会話に気を遣う。

少子化も当たり前で、新型コロナ禍を経験した女子が、「子供がたくさん欲しい」と思うなら、新型コロナの影響を受けずに裕福なのだと思う。それかお金持ちの男と結婚した女性だ。

森氏には烈火の如く中傷を浴びせるのに、橋本氏のあの件はスルーなのが、あなたたち女だ。橋本氏のセクハラは、森氏の女性蔑視発言よりも遥かに問題だ。何しろ、嫌がる男にキスをしているのだから。

まあ、日本だけではなく、世界中の先進国がスルーしたから、先進国はフェミニストたちの圧勝だ。しかし、先進国内で弱者になってしまった女子たちは、その「圧勝」

の恩恵は受けない。風俗に行くか、弱体化した男と結婚するしかない。

日本女性は世界の憧れだった

私は女性をこよなく愛しているが、自業自得の女たちは無視をするようになった。私のようなタイプの男は、私の男性読者に多い。彼らも、「結婚しなければよかった」と言うようになった。


「妻を抱く気になれない」

「仕事がきついのに、主婦の妻にイクメンをさせられた。今は女で遊んでいる」

「病気になったときに、妻にお金の話ばかりされた」

「妻に、あなたがキャバクラに行くなら私にはホストと遊ぶ権利があるって言われた」

「監禁も軟禁もしてないのに、自由がないとうるさい」

「何でもモラハラと言うから、ウィットに富んだブラックジョークも言えない」

日本人女性は、少し前まで世界中の憧れの的だった。

少し前までだ。西暦で言うと二〇〇五年くらいまでだ。それ以降は、ほかのアジア人女性が世界の富豪たちにとっての理想の女に変わった。私も台湾やタイの女子はかわいいなと思っている。

理由はあまり言えないが、私が写真の仕事を辞めたのも、二〇〇六年くらいだったものだ。モデルの女子たちの態度が急変して、悪くなった。

あの頃にいったい日本で何があったのか。本書とはテーマも違うし、ここでは書かない。男性読者の方も女性読者の方も、自分で調べてほしい。ヒントは「愛よりもお金」の時代へと激変した年。

一方的な見方しかしない人たち

気の合う仲間以外にはなるべく会うな

結論を先に言うと、話が合う人以外とは、極力会わないことだ。大事な相手なら、連絡は季節の節目だけにしておけばいい。

東京五輪の後、日本には未曽有のストレス社会が訪れるかもしれない。まず考えられるのは格差が激しくなることで、次に新型コロナの変異株にワクチンが追い付かないストレス。

「またワクチンを打つのか」とうんざりして、病院に行くことになる。そもそもワクチンは人工的に免疫を付ける化学薬品だから、ほかの薬同様、だんだん効かなくなってくるものだ。

マスクを外せないことによって、コミュニケーションが辛くなる。

男たちには、女性を目で見て楽しんできた壮大な歴史がある。恐らく三千年はそうだった。それができなくなったら、どんなストレスのはけ口が出てくるか。まさに新手の性犯罪が増えると思っている。

女性側には逆に、美人やかわいらしい顔立ちの人が、自分を見せられずに困ってしまうストレスもあるかもしれない。少し離れた所に想いを寄せている男性がいるのに、マスクをしているから自分に気づいてもらえない、ということだ。

マスク反対派が外国にも多いようだが、ワクチンや優秀な経口投薬剤が出来たとしても、マスクを着けておく慣習はしばらく続くだろう。

このように、ストレス社会がより広がり、皆がピリピリしているから、気の合う仲間以外とは極力接しないことだ。

寂しいが、ワクチンの話でも、私はある女性とは同意見で、ある女性とはケンカになった。双方、長い付き合いの友人だが、怒らなかったほうの女性とは一緒に仕事をしていたことがあると気づいた。ボルダリングやらにも一緒に行っている。要は趣味が似ていた。怒ったほうの女性とは趣味が合わない。趣味以外のことで付き合いのある人だ。

ストレスを抱える人とは関わらないのが無難

新型コロナ禍に被害を受けた人と影響を受けていない人がいると思う。

この原稿を執筆している二〇二一年春は、筋トレがブームになっている。私の近所のジムは新規会員が募集できないくらい申し込みが殺到したようだ。ジム内は換気を徹底しているから感染リスクが少ないと思ったのか、体を鍛えたら感染しないと思ったのかはよくわからない。

ただ、夏になったら冷房を入れるから換気が難しくなる。換気をして（窓を開け放って）冷房も入れるとなると、ジムは電気代金で破産する。

新型コロナの影響をまったく受けなかった人は、投資やらをしているお金持ち以外には滅多にいないと思うが、私がこの原稿を書いているときに積極的に筋トレジムに通っている人は、それほど新型コロナ禍の影響を受けていないということだ。仕事上影響を受けていても、預金があって時間をジムで潰せる、または精神的なことで、「ただの風邪」と思っている若者たちだろう。後者も「影響は受けていない」と言える。

一方、痛烈に新型コロナ禍と東京五輪開催決行の被害を受けた人は、多分、お金も時間も奪われている。ストレスで動けなくなっているかもしれない。

私には痛み止め薬のアレルギーがあり、その代用の薬を心療内科でもらっている。そこの医師が、「患者さん、増えてますよ」と言っていた。

待合室で頭を抱えている人や挙動不審な人がいっぱいいて、薬をもらいにきただけの私はたったの五分で診察が終わる。というか診察しない。「何日分、欲しい？」だけだ。ほかの人はカウンセリングをしているのか、その場で投薬しているのか、長い時間がかかっている。

仮にその人たちが、新型コロナ禍のストレスで来院したのなら、普段もピリピリしているか、苦悩していると思う。こうした人たちとは付き合わないのが無難だ。無視しろというわけではなく、**無理に付き合うと、余計にストレスが増大**。お互い良いことはないのだ。

悪のウルトラマンも言っている

趣味や意見の違う人同士が、話し合いの末に仲良くなる時代もあった。これからは違う。**最初から意気投合した人同士が、ストレスをなるべく避けながら付き合う時代だ**。特に、新型コロナ禍の被害を受けた者同士の絆（笑）は、深くなると思う。

また、その友人が「疲れてるな」と思ったら、無駄なLINEなど送らないとか、気配りの慣習を付けるのも大事になってくる。

先ほど、診療内科の患者が増えていると書いたが、眼科も増えている。自粛、自粛でゲームやテレビ鑑賞ばかりになった。スマホのやり過ぎで失明した事例も世界中で起きている。

本書が発売された後、また変異株に襲われて自粛になったときに、目が疲れている様子の人にLINEを送らないほうがいいということだ。通話が無難だが、「通話恐怖症」という人もいるし、最近はまた若者たちのカリスマのような男が「通話不要論」をぶち上げていた。

彼ら、常に私と考え方が違うが、なぜかと言うと、向こうは炎上が目的。炎上は言い過ぎだとしても、**「これを言えば目立つ」とはわかっている。**私は炎上は嫌いで、常識的なことに快楽などを上乗せして書いているだけだ。道徳的でもないが、それほど無茶なことは言わない。

通話不要論を声高にネットに書いた有名人と、それに賛成した著名人たちを見ていて、「目の疲れは無視か。相変わらず一方の局面からしか物事を見ないな」と私は思った。

実はこの**「一方の局面からしか物事を見ない」**という台詞は、ウルトラマンに登場するトレギアという悪のウルトラマンの口癖だった。正義のウルトラマンたちの、「正義は光で、闇は許さない」という態度に対しての切り返しだった。

「闇には闇の良いところもある。善悪は（人、宇宙人）それぞれによって違う」というニュアンスだが、トレギアが復讐の暴力行為をしなければ、正論で収まるのだ。

通話不要論は、ビジネスには正義かもしれないが、眼精疲労が辛い人には悪習慣になる。そこを考察しないで、若者たちに「そうだ。通話はダメだ。時間の無駄だ」と洗脳していくなら、それは一方的な正義の押し付けだ。

そうそう、私は写真が好きだから、写真を一緒に撮ってくれる女性と暮らしたい。ほかの趣味や考え方も含めて、なるべく似ている人がいい。それくらい、私は新型コロナ禍の被害を受けた。

「あんなのは、ただの風邪だ。コロナ脳のバカ」とか言う奴が私の隣に現れたら、恐らく、暴力的なケンカになるだろう。私は彼らの相手をしたくないが、活動家的な人間は立ち去らない。活動家はその活動が達成されるまで、しつこくやめることはないからだ。

だから、**最初から相性が良い男女と付き合うことだ。もうそれしかストレスを避ける方法はない**。

スペイン風邪が終息したように、新型コロナが突然なくなって、本書が必要なくなるくらいになればいいのだ。そんな時代が早く来ることを願っている。

第二章
あなたたちは、幸せになれる

あなたたちはまだ若い

「中には良い人もいる」なんて当たり前

新型コロナの自粛に我慢ができなくなったバーベキュー好きな人たちが、鬱憤（うっぷん）を晴らすように川や山に行き、バーベキューをしている。そして、その場所にゴミを放置していく。

翌日、市や町の職員がそのゴミを業者に頼んで清掃するが、それは税金でしょうね。日本は国全体が清潔でゴミも少ないが、自治体や企業がそうしてさっと片付けていくからだ。

バーベキュー好きな人たちが全員、マナーを守らない人たちではない。

私の知り合いにも一人、バーベキュー好きな男がいて、一度だけほかの知り合いたちと一緒に私も混ざったことがあるが、ゴミは持ち帰った。そこは海だったが、ほかのグループが出したゴミが散乱していたものだ。

この原稿を書いているときに、河川敷でＤＪイベントをやってゴミを放置した人がいるというニュースがあった。主催した男は、「急に雨になったから仕方なかった」と弁解したが、翌日に掃除に来ることもなく、ネットで見つかったから謝罪した。ネットのコメントでは、「だからああいう連中はバカにされるんだ」という声もある一方、「こんなことをする奴は少ない。世の中には良い人たちもいる」という書き込みもあった。

私が今回言いたいのは、後者の「中には良い人もいる」の話だ。

良い人がいるのは当たり前だ。

恐らく、菅政権は、東日本大震災の民主党政権よりもひどいと思う。小池都知事と抱き合わせて、平成から令和で最強最悪な政権だろう。

だが、中には良い政治家もいるはずだ。**人には生まれついての本質があり、それは何があっても変えることができない**。生まれつき善人で正義感が強く、矛盾や偽善が嫌いな政治家なら、菅政権の東京五輪強行にイライラしていただろう。

だからといって、われわれをこれだけ苦しめた政治家に投票してはいけないのだ（あなたが苦しんでいなくてオリンピック開催にバンザイならいい）。自分も彼らと同類だと思われてしまう。

他人を踏み台にして金を稼いでいる集団や、炎上系ユーチューバーのような連中、陰謀論の活動をしている人たち……それらが正しいと、あなたとあなたの大切な人たちが思うなら、関わるのは大いに結構だ。

私なら性風俗の世界にいる人たちを軽蔑していない。そう、セックスで稼いでいる人たちのことだ。そこに暴力団とかが絡んでいたら、その一角だけとは付き合わないが、それがなければお茶くらいはする。

それは私が、ヒトとセックスの進化、退化を書いている専門家のような物書きだからで、深い意味はないのだ。

あなたが、「里中李生」の本を読むことで多くの友人をなくすなら、里中李生一人にこだわらずに、里中李生の本をすべて捨てて、「彼の本はもう読まない」としたほうがいいのだ。それくらい、私が書いている内容は好き嫌いが激しいということだ。

「日本は良い国」に騙されるな

「日本は良い国。平和で人々は優しい」

これも間違いだ。**正確には、「日本にも良い人はたくさんいる。しかし日本は根本的に腐っている」**である。

どの時代もその国が退化していくときには混乱し、暴力的になることがある。日本の歴史を見ると、ずっとそれをやっている。江戸時代は平和だったとはいえ、侍の辻斬りは横行していた。坂本龍馬を始めとする当時のテロリストたちは絶賛され、英雄になっているが、当時の人たちの半数は怖がっていたと私は思っている。

徳川幕府と長州藩の戦争では、巻き込まれた庶民は、辻斬りに遭った庶民よりも多かったはずだし、まさに、最後の侍たちは刀を振り回して町を闊歩していた。

明治以後には侵略戦争を開始している。侵略ではなかった部分も多々あるが、戦争をしたことは事実だ。第二次世界大戦では多くの兵士を死なせ、市民も犠牲になった。アメリカの支配下に入るような形になり、ソ連に北方領土は奪われ、今も戻っていない。高度経済成長で意地を見せたが、そのときには大気汚染を引き起こし、猛毒を川や海に流し、多くの人の健康を奪い、動物を絶滅させていった。

平成に入るとバブルは崩壊。経済を立て直せない唯一の先進国として世界から笑われている。

バブルの頃に若かった男女は、親になって子育てができず、生活は困窮していくばかり。それを見てきた下の世代は、個人で儲けようと、今のネットビジネスに着目した。しかし、**情報化社会、合理主義が行き過ぎて、「真実」はまったく見えない時代になった**。

戦争がない時代にやることは、「世の中をより良くすること」と相場が決まっていて、その活動は、先に触れた陰謀論などを生んでしまう。ほかに言葉狩り、男女平等問題なども行き過ぎていて、「かわいい女子」でいたい女の子たちを苦しめている。

先に触れた通り、日本は自殺大国でもある。それだけでもう「怖い国。闇がある」と発展途上国の女性たちが怖がっているのだ。「私たちの国で起こる内乱の死者よりも、自殺者が多い呪われた国」と言われてしまった。

あなたたちは、「日本は良い国」と思っている。**過去の歴史は美談にしているかもしれない**。『忠臣蔵』もそうだ。吉良上野介(きらこうずけのすけ)は、それほどまでに悪党だったのだろうか。

私が三十代だったら翻訳機を持って海外に飛ぶ

「日本にも、良いところがある」

そう、「中には良い人もいる」と同じだ。

他国に比べて格差が小さく、移民がいないことから人種差別が横行していないことなどがそうだ。

しかし、もしそれらの良いところもなくなり、私事で言うと、大好きな富士山も噴火で崩れてしまい、大好きな日本人女子がスカートすら穿かずに、汚い男の言葉で彼氏を罵倒するばかりになったら、もう日本に用はない。

私も五十歳を過ぎてしまっているので、生きているうちは大丈夫かなと思っているが、本心を言えば、「あのときに海外に移住しておくんだった」である。そう、先に触れた二〇〇五年頃だ。

だが、十数年前とはいえ、その頃にお付き合いさせてもらっていた女性たちが本当に優しくて、まさに大和撫子（なでしこ）か、映画『るろうに剣心　最終章』の雪代巴みたいな女性たちだった（ちょっと盛りました）。

彼女たちは「海外で暮らしたい」とは言っておらず、私も彼女たちとの温泉旅行や沖縄旅行にはまっていたから、海外に移住したいとは思っていなかった記憶がある。ただ、「なんて陰湿な人間が多い国だ。学校の虐め問題はなぜ放置されているんだ」と、日々、苛立っていた。

昔から、海外の知識人、特に経済や政治に詳しい人たちは、**「日本は民主主義のふ**

りをした社会主義国家でしょ」と揶揄していたものだ。それを菅政権があらわにした。

民主主義は言うまでもなく、多数決。国民による、である。しかし国民の八割が東京五輪の「反対か延期」を望んでいたのに、NHKと組んで無視。NHKが東京五輪開催に悪影響が出る情報発信や世論調査をしないのだ。いつもは躍起になって世論調査ばかりしているのに。

繰り返しになるが、都内や大阪の映画館は強制的に閉鎖された。映画界からの抗議でなんとか再開されたから、まだ民主主義の一部を維持する気は政治家たちにはあるのだろう。

しかし、この国は税金の重税も含め、民主主義国家とも毛色が違っている。

それでも「日本の中にも良いところはある」と思う若い人たちは日本に住んでいていいと思う。ただ、私が今、三十代で恋人がいなければ、翻訳機を持って友人知人のいる国に飛んでいくと思う。

「もう日本の情報は耳に入れたくない」と泣いてすがる。

これは希望的な話だ

先進国だと思っていた皆さん。日本が心身共に後進国だとわかったと思う。医療技術はあるのにあっという間に崩壊。税金は世界一高いのに、借金大国でその税金で政治家たちは遊びまくっている。民度は低く、Go To トラベルを利用した旅先で宴会をする。

虐め問題はまったく解決させる気がない。

二〇二一年春、藤原竜也主演で「青のＳＰ」というテレビドラマを放送していた。物語は、虐め問題などが頻発する中学校に、藤原竜也演じる警察官が「スクールポリス」として勤務するという設定だが、反響はなかったようだ。

「こんなのあり得ない」と思っている無知な日本人ばかりなのか、虐め問題はどうでもいいと思っている冷酷な人たちが多いということなのだろう。あり得ないわけではなく、フランスでは虐め問題で警察が学校にやってくる。加害者が生徒でも罰金や禁固刑がある。

日本のテレビ報道は芸能人の不倫問題ばかりで、もっと大切なことはどうでもいい扱いにする。そもそも、大人の恋愛に文句ばかり言っている国なんかない（宗教的な問題での恋愛禁止などは除く）。

緊急事態宣言を出すだけ出して、結果も出ないのに満足な給付金を配らない。飲食店には、「協力金を渡す」と言っているのに、その協力金が数カ月経っても入ってこない。そう、政府は彼らが潰れるのを待っているのである。

人に優しいのは表面上だけ、社交辞令のようなものだ。一般人の間では二〇〇五年くらいからそんな世の中になってきたと、私は肌で感じた。**愛よりも優しさよりも「金」。それが庶民にも浸透した。**

泣き寝入りや事なかれ主義で、クレームが入ったらすぐに「ごめんなさい」と広告などを取り下げる。私のインスタグラムのフォロワーが二カ月足らずで二万人になったところで、何かのクレームが入り、潰された。それは、クレームを受けた人の人生を破壊させる行為なのだ。死ぬ人もいるかもしれないが、クレーマーはそんなことは考えずに、暇つぶしをするようにネットで「通報」できるコンテンツを探している。
映画では、出演者が犯罪を犯すと上映や放送ができなくなる。それもクレームが入るからで、犯罪を犯した俳優の責任は重大だが、共演者にとってはたまったものではない。「犯罪者になる前の仕事なんだから、上映してもいいじゃないか」と思わずにはいられない。

これは絶望的な話ではない。希望的な話だ。**あなたたちはまだ若いということだ。何でもできるのだ。うらやましい限りだ。**移住した外国が嫌なら帰ってくればいいし、親もきっとまだ元気だと思う。私の親はもう棺桶に足を半分突っ込んでいる年齢だ。迂闊に離れられない。

ただ、高校生の息子が、もし「海外に住みたい」と言ったら、「俺のことは気にせず行ってこい」と言う。そして、「外国から日本を見て、あの国の中に混ざっていていいのかダメなのかと考えて、結論が出たら、またその考えを聞く」と。

日本と日本人の良いところ

優しく女らしい人が多い

先にも少し触れたが、日本にも良いところはある。

正直、少ないが、私が好きなのは、銀閣寺のようなお寺や神社、そして日本人女性。

「男に対して好戦的な女」がほとんどのアメリカに対して、日本人の女性はまだ少しばかり、優しく女らしい人が多い。

この「女らしい」という言葉に目くじらを立てる女が少ないということだ。一般人には、である。ネット上には多いが、ネトウヨがネットにしかいないのと一緒。

ただ、やはり女性も変化している。

私はカメラマンとして女性の撮影をしてきたが、「私に触るな」というモデルさんが増えたことで、撮影を止めた。その「触る」は、転びそうになったときに助けたことや、モデルさんがノロノロしているから、「ちょっと髪の毛を動かすよ」と言ってからの行為。ポートレートの基本で髪の毛の先が目に入っているのはNGなのに、なかなか直さない。衣装をなかなか直さない。足の位置を理解してくれない。

モデルさんにスタイリストやマネージャーがいないと時間がかかるから（いてもかかる）、私が断わってから、モデルさんの肩を動かそうとすると、「触るな」と言う。「じゃあ、君は仕事の前にポーズ写真集でも見てから来なさい。またはその前髪を切ってこい」と怒って、ギャラを払っているのに、撮影を止めて帰ったことがある。

何でも「セクハラ」というIQが低い女子が増えたということだ。そのモデルさんがもし階段で転びそうになったら、それでも私は手を出すが、それも「今、変な所を触ったでしょ」と後で言われるだろう。最近、撮影を再開したが、友人しか撮らないようにしている。

それでも、アメリカよりは数倍、日本人の女子はかわいらしい性格をしていると信じているし、実際にそんな女子がたくさんいる。アメリカに長く住んでいた友人の独身男が、「とてもじゃないけど、アメリカ人の女性とは付き合えない」と苦笑していた。「ずっと男女の問題に怒っているうえに、レディファーストをしないと怒る。とにかく怒る」と。

また、これは私見だが、日本の女性、特に若い子たちは、男を誘惑するファッションではなく、自分がかわいらしく見えるファッションを選択する。それが逆に、控え目に見えるというのもある。福岡とかにはそういう女子が多い。

落とし物が返ってくる

日本で私が感心しているのが、落とし物が返ってくることだ。もちろん百パーセントではないが、私は今までに暴走族に奪われた財布以外の落とし物はすべて返ってきた。警察署に届けられていたものもあるし、お店に忘れてきたものは、お客さんか店の人が見つけてお店に保管。

駅で落としたカードは、リクルートスーツの女子が私を追いかけてきて「落としましたよ」と渡してくれた。深夜の新東名のＳＡに落とした亡くなった愛猫の写真が入ったカードケースは、トラックの運転手か係の人が拾って、ＳＡの事務所に届けてくれていた。タイに行ったときには、店に忘れたお土産が瞬殺で盗まれたものだ。

綺麗好き

ウォシュレットは日本が誇る最高の製品だと思っている。痔に悩む人はあれがないホテルには泊まらない。汚い話で申し訳ないが、紙で拭いただけでは便は残っていて下着に付いてしまうものだ。

その世紀の発明品であるウォシュレットに対して、「公衆トイレのウォシュレットは、水の出口が汚いかもしれないから怖い」という人がいるほど、日本人は潔癖症。確かに、私も公衆トイレのウォシュレットはよほどのことがないと使いたくない。

正直に言うと、他人の便に特別なウイルスがない限りは、それを触っても肛門から侵入してきても人体に深刻な影響は与えない。特別なウイルスとは、単純に薬がないものや効かないものだと解釈してほしい。エボラなどだ。

こうした例からわかるように、日本人は綺麗好きだ。

オーストラリアのゴールドコーストのような完璧過ぎるほど綺麗な町もあるが、大手町界隈のビジネス街にゴミが落ちてないのがすごい。

ただし、観光地で遊んで（例えばバーベキュー）、ゴミを持ち帰らない日本人は多い。恐らく酔うと知性的ではなくなるのだろう。ただ、彼ら彼女らを擁護するわけではないが、正直、ゴミを捨てるボックスなどが少ないと思う。

家のゴミにしても、自治体によっては「〇〇ゴミの収集は月一回」というのがあるもので、その日はゴミ置き場からゴミが溢れてしまっている。「溢れて路上にあるものはゴミではないから集めない」と役所が怠慢をあらわにして言うから、「それで税金をもらう権利があるのか」と怒ったことがある。

そもそも、カラスのほうが賢いから、どんなに頑張ってもゴミは漁られてしまう。しかも、その一回を出張などで逃したら、家の中もゴミだらけという事態になるのだ。

教育がダメなわりには天才が多い

ユダヤ人もそうだが、日本人には天才が多いと思っている。ノーベル賞受賞の数も多い。日本の学校教育は個性を消そうとするから、その反発で「唯一無二」を目指す若者が出てくるのだと思っている。彼らの共通点は、学歴を気にしてないということもある。藤井聡太さんもそうだ。

それに対して、ネットなどで有名大学卒の男たちが優位に立ったような発言をするのが、残念。残念なのは、「お前が残念な奴」ということだ。人は学歴ではない。才能だ。あなたが高学歴でも才能がなければ、才能のある人間には歯が立たない。

世界に誇るエンペラーがいる

日本には、世界に誇るエンペラーがいる。もう、これは驚愕するべき事実で、世界中の憧れと尊敬を集めているのは疑いようもない。

万世一系が三千年弱も続いている天皇がいる国など、ほかに地球上のどこにもなく、反日の人たちを除いて認められている。

織田信長のような将軍たちが、天皇とその一族に取って代わろうとしなかった。その理由をＮＨＫの大河ドラマで詳しく扱っているのを見たことはないが（過去にあったらすみません）、私も理由はわからない。北条家、織田信長、豊臣秀吉、徳川家康らが、天皇を殺して日本の民の頂点に立つことはなかった。

日本は無宗教国家と言われているが、やはり、天皇は日本人の宗教的存在なのだと思う。織田信長から見ても、イエスのようなものだったのだろう。反天皇の人たちが全面否定する、天照大御神（あまてらすおおみかみ）が実在したのかもしれない。

礼儀を重んじる

松山英樹選手がゴルフのマスターズで優勝したときに、キャディがオーガスタのコースに一礼したことが世界中の話題になった。あれはマスターズの名門オーガスタだったからで、都度大会のコースが変わる全英だったらやっていたかどうかわからない。神社の鳥居をくぐった後、また振り返りお辞儀をする、日本人の慣習だ。キリスト教の人たちが胸で十字を切るのと同じだが、珍しく見えたのだろう。

だが、日本人の礼儀作法を世界に知らせる良い結果になった。それが国内の、例えば相撲の土俵とかならわかるが、アメリカのゴルフコースでもやるのだから、やはり、良い慣習として日本人の本質にあるのだと思う。

お歳暮、お中元も良い慣習だと思っている。ただ、私、年賀状は昔からどうかと思っている。年末が忙しいから。

マスメディアは日本の悪いことばかりを報道するが、電車に乗ったら、「優先席」はいつも空いている。普通の席が満席でも座らない人が多い。次の駅で、妊婦さんやらのために空けておく人が多いという事実だ。「車椅子の人を無人駅で無視した」と騒ぐのは活動家だけで、本来、日本人は肉体的に不利があって困っている人にとても優しい。

ただ、精神的に困っている「大人」にちょっと甘過ぎると思う。昔に虐待された人、精神障害者三級とか二級の人。彼ら彼女らがずっとニートでいていいはずはない。もちろん実際に働けない人もいるが、国が保護し過ぎるから、余計に働かないという側面もある。就職できる所も少ないのだろうが、就労支援所なども多くあって、そこにも行かずに部屋にこもっているものだ。

夫を支える主婦がいる

世界中から批判されているかもしれないし、共働きのママ友からも叱られるようだが、それにもめげずに夫のために主婦に専念……という女性が、日本にはまだいる。夫は、お金持ちで仕事ができるか、お金持ちではないが重労働をしている。だから、彼女たちは主婦として家事を頑張っている。それは女神のような行動力だ。

それにもかかわらず、夫が病気などで仕事ができなくなって、パートの面接に行ったら、「ずっと主婦をしていて何もしてなかったんだね」と面接のおっさんとかに言われる。その人間が実は女性差別主義者なのだが、フェミニストたちは論点を変えてしまう。「おっさんはひどい男だ」と、そればかりを怒る。問題は主婦がどんなに大変か、だ。

私がフェミニストを嫌う理由がそこだ。そもそも家事がどんなに大変か知らないのか。もちろん、彼女たちは家事だけをしているのではない。ピアノを練習していたり、美容を頑張っていたり、習い事をしている。また子育ても熱心だ。

ほかにも、漁師など家族のために荒波の中に出掛けていく男たちが多くいるなど、日本人は家族を大事にする傾向が強い。カトリックでもないのに、自分の意思でそうなっていくのは変わっていると言える。

危機管理能力を持て

大切な人をトラブルから守るため

自慢話に思えるかもしれないが、聞いてほしい。

私には超能力的な危機管理能力がある。お金にはズボラだが、要は命に関することだ。

直近では、タイの空港の税関で軍の連中に囲まれたがそこを切り抜けたし、同じくタイで**「鞄の重さが違う。忘れ物があるはずだ」**と、それまでいたレストランに通訳を走らせた。忘れたのはコンパクトカメラだったと思う。

それも、タイの空港に到着した瞬間に目覚める能力で、それまでは、成田から「耳鳴りがする。体調が悪い。歩けない」と通訳に愚痴ばかりこぼしていたものだ。

カフェで火災があったときも冷静だった。まずは入店したときに、店員が女子高生だけだったのを確認している。「女子高生が好きだからだ」と思ってもらってかまわない。

「大人の店員がいないな」と思って、店内に暴れそうな男がいないか確認してから読書を始めたら、火災警報が鳴った。

ほかの客は何もせずに笑っていたり、大学生の男はスマホをいじったりしている。慌てた店員女子高生は店長に電話をしている。一一九番するように言い、店の裏にある作業場などを彼女と一緒に見に行った。発火した箇所を探しに。

結局、火元はその雑居ビルの三階のキッチンで、大きな火災にはならなかったが、通りかかった息子が、「あそこにお父さん、いたんじゃないの？」と笑っていた。

同時期に、モスバーガーで**ラップ音楽を大音量で聴いていたケンカ上等の若者を注意した**。それでもテーブルに足を投げ出したままだから、「こんなに隙だらけで、百戦錬磨のこのおっさんに勝てると思ってるのか」と苦笑しながら、もう一度注意した。

ちょうど警察官が店の前を通ったのを見て、連れていってもらったが。

こうした話を、女たちが非常に嫌う。

「だから里中さんは嫌い」ということだ。

いいか、よく聞け。俺がケガを防ぎ、もしかすると命を救ってきた女子は、お前も含め、恐らく百人以上いる。なのに、「そんな里中さんは怖い。嫌い」か。

これは、日本という国が、あきれ返るほど平和で、または平和に見え、彼女たちは危険な目に遭ったことがなく、または遭っているが、それを「たまたま」と思っているからだ。私の場合は、その「たまたま」を簡単に見つけてしまうから、トラブルに巻き込まれることが多いということだ。これでも物書きだから、観察しているのだ。

先に触れたが、飲食店に入ると、どんな人が座っているかを必ず見る。

ある友人女性とホテルの中にある高級レストランで待ち合わせをしていたら、私を睨んだ中年の男がいた。見たことがある顔だったから、ネットに出ているような活動家的な男だろう。

一緒にいた奥さんはうつむいたまま何かを飲んでいた。「またこの人はケンカの相手を探している」と震えている様子だ。

そのケンカの相手が私だった。理由は、私が一人なのに、四人掛けのテーブル席に座ったこと。そのテーブルが窓際で、彼は奥の暗い場所の二人席。

私は一眼レフカメラを持っていて、運ばれてきた飲み物を撮影した。その瞬間、男が店内、いや遠くの会計レジの店員に聞こえるほどの怒鳴り声を上げて立ち上がった。

「ほらほら、始まった」と思い笑ったら、余計に怒って奥さんが泣き出した。私の余裕を見た彼はこちらに向かってこようとしたが、店員が飛んで来て、それを止めた。男が「あの野郎が、俺を撮影した」とまた怒鳴ったから、「撮影したのは机の上です。見せましょうか」と私は言った。奥さんが泣いていたから、「すみません。消去するからそれでいいですか」と、店員にも視線を投じて言った。すると、男は「まあいいよ」と座った。

その男は常連の偉い人だったのか、私は店員に違う席へと移動させられた。そこで

「店内で撮影をするのか」と店員に睨まれたから言い返した。

「しませんよ。設定していただけです。怒鳴り散らしたあっちの味方か。スマホで撮影をしている人たちには怒鳴らず、なんで俺にケンカを売ってきたのか、それは四人掛けのテーブルに通したからだ。あのお客さんは待ち合わせだと、彼に説明したらよかったんだ。そちらの不手際だ。このホテルにはよく泊まるが、もう来ないよ」

その後、待ち合わせの女性がやってきた。私はそのトラブルを一切、彼女に言わなかった。笑顔で、「京都のお土産があるんだ」と言って、それを渡して店から出た。これも、女子を守る行動力だ。**「怖い男がいた」と言う必要などないのだ。**彼女も怖がってしまう。

生まれたときからの本質

私は、そんなトラブルから人を守ろうとする。特に、女子と子供だ。

息子と真夏に渓谷(けいこく)を登った。頂上に自販機があるのかと思ったのか、息子は冷却ボトルの水を飲み干していて、川の水しかない山の中で呆然。「もう死ぬ」という顔だ。

それを想定していた私は、自分の分は小分けにしか飲んでいなかった。半分以上残しておいた冷たい水を、彼に飲ませて下山した。

私の危機管理能力は、生まれたときからの才能、本質だ。母親は知らないだろうが、小学生の頃から、母親と一緒に買い物に行くときに周囲の危険物を見ていた。中学生になったら、社宅マンションでほかの家族の子供たちが階段で遊んでいるのを、落ちないように見ていた。できる範囲で。

そんな私が二十代の頃に、実は暴走族に狙われて殺されかけたことがある。

バイトからの帰りの夜道。向かう先は自分のアパート。突然、隣に停まった改造車から男が二人降りて、殴り掛かってきた。彼らの狙いは私の財布だったようだが、そのときに、私を迎えに行こうと**アパートから出てきた当時の彼女が見えた。咄嗟(とっさ)に、私は近くの家の庭に逃げた。奴らに彼女が見つからないように。**

ところがその家がなんと廃屋。

「こいつ殺そうぜ」と彼らは言い始めた。あっさりと財布を渡すと思ったようだが、こちらは応戦。バックドロップで一人、投げたくらいだ。すると、スパナやナイフを車の中から持ってきて、そのまま私を車の中に連行、拉致。

「ここで殺そう」とナイフでやられそうになったところで、誰かが通りかかった。それを見て、彼らは「やばい。通報されるから逃げるぞ」と私の財布を強引に奪い、後頭部を鈍器でぶん殴って、車から私を投げ出した。嘘だと思うなら、松戸警察に聞いてください。「悪質な殺人未遂事件」として、記録が残っているはずだ。

その事件から、私の危機管理能力はさらに磨きが掛かり、冒頭のタイの話につながる。

ほかにも、電車内で暴れていた男がいて、駅に着いて扉が開いたときに背中を押して「バイバイ」。そのときも、乗客の誰一人として、暴君（精神障害者だった）から女性を守ろうとする男はいなかった。私なんか、ビビっていたおばさんの前にすっと立ったものだ。「精神障害者なんだから悪くない」と言われそうだが、それで誰かがケガをしても、同じことが言えるのか。それから、おばさんも守ったことを尊重してほしいな。

男の仕事とは何だ

さて、新型コロナ禍は私でもお手上げだが、ここで書いた危機管理能力、先に触れたドイツの友人を迎えたときなどの新型コロナ対策。それくらいしないといけないのだ。男は。

「イクメン」という言葉がなくなった。ほとんど使わなくなった。結局、育児に男が邪魔で、ちょっとピンチの時に判断力があって助けてくれる私みたいな男が良かったってことだ。

私はオムツなんか替えたことがない。だが、「心臓に異音がある」「発達障害かもしれない」「学校でトラブルがあった」「ケガをした」「自転車に乗れない」などには冷静に対処し、「(息子だから)女の子を虐めて泣かしたら、許さない」と強くて怖い父親を演じてきた。厳冬期と真夏は早朝に起きて、子供部屋の冷暖房の調整をしていた。それ以外の子育て、家事を妻がやっていた。

「男は」というと叱られる時代だが、男の仕事だ。違うか。

私はケンカが強いわけではない。だが、頭が良い。カフェには武器がいっぱいある。

電車があと何分で停車するのか、瞬時に外の景色を見て計算する。「さいたま新都心を通過した。あと七分で浦和か」と。ただし、車内に女性や子供がいなかったり、ガラガラだったりしたら、ぼうっとしていて降りる駅も逃してしまう。

私よりもケンカが強い男はごまんといる。だが、男は差し違える能力もある。女子にはそれがない。

男と男が街中や見知らぬ土地ですれ違うとき、昔の男たちは、相手に胸を向けながらすれ違った。隣に恋人がいたら絶対にそうだった。今の男たちは違う。相手に背中を向ける。その瞬間に殴られたら終わりだ。彼女も守れない。

中国人の観光客たちは迷惑だが、富士山の五合目までの細い山道ですれ違うときに、胸を張ってぶつかってきた。

「おー、昔の日本人と同じだな」と私は苦笑いしたものだ。そのとき、私の横には幼い息子と妻がいた。だから私もそうして歩いていた。五合目で、杖の代わりにもなる国旗付きの棒を買ったが、「ちょっとここは息子（当時小学三年生）といるのには危ないな」と思ったからだ。

中国人たちの怒号が響く休憩所である。なんとかならんのか。

それにおとなしくしているのが「日本人の美徳」であり、だから平和なのだが、**万が一、ケンカになったらどうするの？**

万が一のために準備をする必要はない、と思った人もいるだろう。万が一のための準備を怠ったのが、東日本大震災の津波の被害ではないか。

最後に、だから、私は車も最新型の安全装置が装備されている車にしか乗らない。車の進歩だけは認めている。タイガー・ウッズの乗っていた車には欠陥があったはずだ。

「何を求めるのか」を明確にする

「幸せ」と「快楽」の違い

――幸せか、快楽か。

昔から哲学者、作家らが議論し、本にして、多くのカップル、夫婦が直面してきた問題かもしれない。

このニつは、実は同じだ。

いくぶん違う点は、**幸せは主観的に勝手に決められるものだということだ。**

一緒に暮らしているのがＤＶ夫でも、「これが私の幸せなんです。ときどき殴られるけど優しくなるし、子供には手を出しません」と言い張れば、そう、本人は幸せになれるのだ。簡単に言うと、幸せには定義がないということだ。

一方の**快楽は、わりと「これが快楽」と決まっている**（ここでの快楽とは専門家がよく言うサディズムの快楽のことではない）。

お金がいっぱいあること、セックス三昧でモテモテの生活、お酒などの嗜好品のやりたい放題、スポーツを楽しめる健康体、法スレスレのことをして楽しんでも地位を失わない、など。

何やら不道徳なことばかり並べたが、人を殺してでもいなければ、その派手な行動力を「なるほど、それは快楽ですね」と認めるしかなくなる。これら快楽は簡単にはできないことで、実践できる人はずっと笑っている。

幸せと快楽の違いは、見ている人が「それは本当に幸せですか」と繰り返し確認しないといけないのか、一回で「それは快楽で間違いないよ」と決まってしまうのか、ということなのだ。快楽が嫌いな人は、軽蔑しながら認めるかもしれない。

「快楽殺人」のイメージがあるから、「快楽」という言葉が嫌われているだけだ。あるカップルが山奥へキャンプに出掛け、テントの中でずっとセックスしている。誰もいないから、熊に注意しながら森林の中でもセックスをして大いに自然を満喫し、ゴミも出さずに町に戻ってきても、何も悪くないのだ。むしろ、自然と一体化した素晴らしい愛だ。

ところが、「人がいなくても裸になることは犯罪だ」という人がいっぱいいる。それこそ、何でも規制し、何でも法の中に人間を縛らないと怖くて仕方ない脅えた人たちと、実は民主的ではなく、社会主義的、全体主義的な思想を持っている人間にほかならない。「自由」をなんとか潰そうと必死なのだから。または、「自分が手にできない快楽は許さない」という嫉妬(しっと)に過ぎない。

失敗を恐れている暇はない

われわれがこれからしなければいけないのは、**「幸せになるか」「快楽を目指すか」、または「両方得るか」**をはっきりと決め、それに突き進むことである。

失敗など恐れている場合ではない。新型コロナ禍でわかったと思う。明日、あなたは死ぬかもしれない。新型コロナワクチンを打って、帰宅。一週間後に死んでいて、「ワクチンとの因果関係はありません」と厚労省が威張って言うかもしれない。

私は「陰謀論」を語っているのではない。もともと、偽民主主義国家だった日本が、社会主義国家（中国共産党のような）だったことを暴露しただけなのだ。ずっと、海外から、「日本は民主主義とはなんか違うね」と言われていたのだから。

そういえば、ある超有名女優さんが、インスタグラムで俳優仲間に「また生きて会いましょう」とコメントしていた。危機感がある彼女は、とても幸せと快楽のある生活をしている。彼女には快楽という言葉が似合わないから、「楽しい」ということで。

東京五輪の後、あなたたちのやりたいこと、または夢は減る。

経済は崩壊するし、五輪を目指す子供たちもいなくなり、スポーツに力を入れていた日本は方向転換に時間をかけることになる。自民党はいったん下野。今の野党が政権を握るかもしれない。それで日本が良くなることはない。外交ができない野党が、日本を守ることはできない。

独身の人は、好きな人ができたら必ず告白することだ。結婚を前提に付き合ってほしいと言う。もう、遊んでいる暇はない。遊びたい人はセフレでもつくって、それを「快楽」として満喫していればよくて、体の相性が良ければ笑いが止まらないだろう。二兎は追わずに、そのセックスの快楽だけで生きていったほうがいい。

独身の男女に言っているのだ。どちらか決めて、はっきりと突き進めと。

欲しい車や大型テレビなどを必死になって買い、大いに楽しむ。ギャンブルで一発勝負に出る。観たい映画は片っ端から観ておく、など。**独身時代に一度でいいからやりたいことがあったら、さっさとしなければいけない。**「人生は一度しかない」という言葉がリアリティを持つ時代になったのだ。

私は恋愛は完璧に楽しんだつもりでいたが、結婚したかった人に「結婚してほしい」と言わなかったことが二回ほどあったことに気づいた。もし離婚して、また結婚したいと思う女性と出会ったら、すぐに言おうと思っている。

スポーツが好きな人も若いうちに楽しんでおいたほうがいい。五輪は地球のガンだが、スポーツそのものは素晴らしい快楽であり、幸せにもなれる。また、家族を養ってからでも、槍ヶ岳(やりがたけ)にチャレンジするような真似をしなければ、安全に楽しむことが可能だ。

これから、家族との思い出が激減する

さっき、ギャンブルで一発勝負をしろと書いたが、家族のいる人はやってはいけない。家族の許可を得て競馬場に通い詰めている男は、子供がいないか、大金を失ってもそれなりのお金が入ってくる芸能人とか、そんなところだ。

新型コロナ禍を過ごす子供たちは、とても不運だと思っている。昭和の終わり頃から、最強、最悪に不運だ。東日本大震災もひどかったが、あれは全国ではなかった。運動会は中止になり、部活動はやりにくい。すると、「俺は運動会は嫌いだった。中止に喜んでいる子供のほうが多い」という大人たちがいっぱいネットに出てきて、また子供たちに悪影響を与える。実際に多数派かどうかはわからなくても、自分が嫌いなら何を言ってもいい。それがネットの悪しき問題だ。

では、もっと年齢を下げて、幼稚園はどうか。やはり、**これまでにやっていた「子供たちとのイベント」ができなくなっている**。

幼稚園児の子供たちは、それを楽しみにしていた。保育士の先生が大好きで、初めての友達ができて、家にはない砂遊びをする場所や保育士の先生が見守ってくれている滑り台があり、優しい保育士の先生はお菓子を作ってきてくれたり……。

新型コロナ対策のために、こうしたイベントをしてはいけなくなった。幼稚園にも運動会があるがもちろん中止だ。

だから、幼い子供がいる人たちは、家族との時間をより大切にしないといけない時代になった。

これまで、「家族との思い出」は勝手に出来上がっていた。子供の初めての運動会の写真が残っている。家族で初めて行った温泉旅館の写真や動画、初孫に喜んでいる父母の写真。それらがいっぱい家にあった。

これから、家族との思い出が激減するのだ。

写真はいつも部屋の中か近所の公園。

ワクチンがうまく効いたとしても、気軽に「ちょっと温泉に行こうか」と高齢の父母と子供たちを連れていけなくなると思う。インフルエンザと違い、肥満だったら若くても死に至ることがあるなら、毎年、ワクチンを打たなければいけない。

私たちは、自分たちが求めることを明確にしておかなければいけない。自ら望み、行動しなければ、手に入らないものが多くなるからだ。

お金と愛を手に入れることが成功

女がお金を語り出したら終わり

私の著作に『男はお金が9割』(単行本:総合法令出版/文庫:三笠書房)というベストセラーがある。お金はあったほうがいい。

友人にオーストラリアのゴールドコーストで暮らす男がいる。フェラーリを乗り回し、美しい海で魚を釣っている。サメも出るけどね(笑)。

彼とこの件について語ったが、**お金があって、それでストレスなく、人間関係も良好でいられるのは、「お金持ちのまま早々に引退したとき」**という見解で一致した。

- お金持ちになりたいという話をする

・成功する方法を考え、成功した後の豪遊について口にする
・幸せはともかく「愛」「命」の話はあまりしない

女子がこのようになったら一巻の終わりだと思ってほしい。最後の「愛」「命」についての話をすることはあって、それはまだ健全だが、それでも成功するための行き過ぎた美容法など。

これは女性差別ではない。いちいち言うのもめんどくさいが、**私は男女を区別しているだけで、男の批判もしている。**

かわいらしい女子の、その「成功したい。バリやニューヨークで遊びたい」という話を聞いた男たちは、自分が成功できそうもないから敬遠するのではない。「この女はお金のことしか見てないのか」「お金が最優先なのか。だったら、お金がなくなったらいなくなるな」と、どんなにバカでもわかるというものだ。

特に近年は、新型コロナの影響で、本来余裕があるはずの職業の人たちも失業した。そのとき別れたカップルがどれくらいいたか調査してほしいものだ。

「命」「愛」を無視するな

私の著作は、男たちに「成功」「豪遊（こっそりと）」「セックス」を勧めて、そこに恋人を「リード」するような内容の本だった。女子にそれをしろとは言ってない。まともな成功をした男なら、紳士的に女性を快楽の世界に導くことができる。誰も来ない南の島で、日本では恥ずかしくて着られない水着を彼女に着させることもできる。紳士的とはそういう意味だ。

私が言う、**「成功とお金」は「愛」や「命」を軽視すること、または忘れることではない。**『男はお金が9割』でも歩荷（ぼっか）の話が出てくる。地味だが、大切な職業だ。

東京五輪は、アスリートのためではなく、政治家と国が「お金のため」に決行した。そのため、多くの国民の健康と命が犠牲になっている。また、奪うだけ奪った税金を、大事なはずの五輪の中身には極力使おうとしない。開会式を見たらわかったと思う。

新型コロナの医療崩壊で、どれくらいの国民が持病を放置することになったか。または健康診断を一回パスしたか。救急車でたらい回しにされたか。

東京五輪という「成功とお金」のために、そう、「命」「愛」が犠牲になったのだ。

私は「命」「愛」の無視を勧めたことは一度もない。「ストレス発散に、お酒を飲みながらセックスをしろ」という話くらいは書いたが、私のことで言うと、車で深夜の首都高をグルグル回るストレス発散の類と一緒で、不運なことがない限り「命」の危険はない。セックスなら腹上死、車なら交通事故。それを気にしていたらストレスは発散できない。

しかし、東京五輪をする・しないは、まったく別物。中止にしてIOCに金を払うのが嫌なうえに、建設した施設などの維持費がかかるから先延ばしもしたくない。そのために国民に「死んでください」「子供たちはレジャーも我慢して」「部活もやらないで」と言ったのだ。これは社会主義的な強権と言える。

あなたが、「成功したい。そのために、大事なものはいらない」というニュアンスの話をしていたら、大切な友人を失う。

お金があるだけでは成功ではない。お金があって、さらに愛されてこそ成功なのだ。または、それほど愛されなくても、静かにストレスフリーで生活できれば成功だ。男女共に、「恋人はいらない」という人も多い。彼ら彼女らは、後者を目指せばよくて、その過程で、他人を巻き込んだら、その静かな余生も不可能になる。

人生は、何事も「セット」である

私は何度も成功と挫折を繰り返してきた。ビジネスで失敗したのもあるが、大病やケガというのも多い。

その私が経験してきた結論に優先順位を付けると、接戦だがこうなった。

一、愛されること
二、お金があること
三、名誉、名声を得ること

昔に別れた女性がたまに連絡してくる。もちろん、「あなたとは二度と会いません」

くらいの別れ方をした女子もいる。

少し前に、ボルダリングで足の靭帯を断裂した。私には痛み止めが飲めない深刻なアレルギーがあって、医師が「えー、本当に？」と頭を抱えたほどだ。

このときに、昔の女子友達や元カノから連絡が来た。「大丈夫？」と。

「あなたとまたやり直したい」とかではない。だが、「愛されていたのかな」と思った。大金を得たときよりも、誰かと成功の話を楽しくしゃべっていたときよりも、生きている実感があった。

成功談義は不安がいっぱいで妄想も多く、一人ずつ友人、知人が消えていく。不安や怒りでストレスになるのだ。一方で、「大丈夫？　痛いのを我慢してるの？」は、生きる希望が出てくる。


人生は、何事も「セット」だと言っておく。

お金持ちになることもいいのだ。大いに勧める。中流くらいで十分だが、とにかく勧める。だが、**セットで「愛」もなければ、意味はまったくない**。強大なストレスが襲ってきて、あなたも覚醒剤不法所持で逮捕されるだろう。

私は勝ったのだ

見えない相手に勝つ術はない

ネットでの誹謗中傷に対しては、どうすることもできない。耐えられる人、軽くスルーできる人もいるようだが、その人たちには中傷を受けているときに別の大きな幸せや、笑いが止まらない快楽がすぐ手に届く場所にあるのだと思っている。

私のメンタルの強さは、一緒に長時間行動した人たちが、「すごい集中力」「生命力が半端ないね」と言うくらいなのに、誹謗中傷にだけは勝てなかった。

例えば、格闘技世界一の男がいたとしよう。メンタルももちろん強いはずだ。その男が暗闇で数十人、いや数百人の男たちに囲まれて、相手は全員ナイフや拳銃を持っている。しかも相手にはその格闘技チャンピオンが見え、チャンピオンには相手が見えない。

チャンピオンは勝てますか。これがネットの匿名による誹謗中傷の正体だ。

言論の自由は当然、今後も維持しなければいけない。ただ、**「匿名」を罰する法律をつくらなければ、自殺してしまう人は増える一方だ。**誹謗中傷で自殺した人の気持ちは痛いほどわかる。虐め同様、私が怒りに震えている問題だ。書籍化していないが、私が書くほとんどの小説では、そのどちらか、あるいは両方がテーマに組み込まれている。


幸い、私は自殺しなかった。その理由はわからない。自殺するに相当する中傷を毎日受けていたものだ。自宅も、購入したマンションも特定され、家族の悪口（根も葉もない嘘）をネットに書かれた。ヤフーに削除を頼んだが、受け付けてくれなかった。

もう、心身共に疲れ果てているとき、駅のホームの端に立っていて、列車がやってきたらホームの真ん中に下がっていた。「危ない。発作的に自殺したら大変だ」と思っていた。この心理状態が五年以上続いた。駅のホームにいるのが怖い状態だ。それらに耐えていたが、代わりに、ストレスから内臓の大病を患い、入院した。

医師から言われた。

「君の若さでこの病気になるのは珍しい。いや、もちろん罹る人もいる。でもその人は肥満だったり、家族に同じ病気の人がいたりする。君はご家族にも親戚にも同じ病気の人がいない。粗食でスポーツもしている。この病気はストレスが大きい人が罹りやすいというデータは一応ある。ストレスからの疾患は私の専門ではエビデンスがなく認められないが、君は職業柄、ストレスかもしれないな」

「病は気から」という言葉があるが、それは医学的にはエビデンスが乏しく否定されているのだ。

そんなに珍しいのか、手術した後、切り取った内臓の一部を大学病院に保管したいと言われ、同意書にサインした。念のためにと多めに切り取られたから、百年後に私のクローンが出来るかもしれない。

手術後に「五年以内に再発したら、君は死ぬかもしれない」と言われて、それを止める薬を飲むか飲まないかの選択を迫られたが、「飲まない」と即答した。教授先生の助手や研修医たちが私を囲んでいて、皆が笑ったものだ。

「あなたは飲まないと言うと思った。飲んでストレスにもなるし、私も勧めない」と教授先生は言った。

痛み止めが飲めない地獄

激痩せして帰宅した私は、紙に「俺は奇跡を起こす」と太いペンで書いて壁に貼った。それは今でも息子が自分の部屋に貼ってある。

それから一年ほど家で寝込んでいたが、ボルダリングを始めた。途中、私の不注意で足首の靭帯を断裂するトラブルがあったが、また復活。その頃には Twitter も閉鎖していたから、誹謗中傷はなくなっていた。

「里中はもう終わった」と見捨てられたのだと、残ったアンチから笑われた。そうかもしれない。だが、私は違うと思っている。直接送られるメール、インスタからのメッセージでの中傷も激減したからだ。

痛み止めアレルギーがある私は、靭帯を断裂しても痛みに耐えながら、松葉杖で歩いていた。海外で軍隊の連中に囲まれてしまった話などを、メルマガなどに書いた。その泥沼で抗（あらが）っているときに、私は頭が正常だから余計に地獄。

わかるだろうか。すでにオーバードーズになっていたり、精神障害者の一級になっていたりしたら、地獄に落ちても、地獄だとわからないか、苦痛をあまり感じない。いや、彼らも恐怖は感じるだろうが、正常な頭の人間が地獄にいたら、大変な苦痛だ。まさに筆舌に尽くしがたいことで、脳が楽になる薬が欲しいと思っていた。

ところが、なんと抗鬱剤も体に合わない。飲んで気持ち悪くなり、逆にストレス。辛うじて緊張感をほぐす薬が飲めるだけで、それで頭痛などを緩和させているが、気休めに過ぎない。

酒も苦手、煙草は吸えない。好きな欲望はセックスだけなのに、風俗は行かない。

そんなことを発信していくうちに中傷がなくなってきた。ネットには、「もう里中を中傷するのはやめておこう。俺は人を殺したくない」と言ってくれた人がいたかもしれない。

そして、**大きな病気から立ち上がってきた人は、周りが心配してくれる**。実際に、私は大学病院の医師が首を傾げるほどの大病をした後に、多くの友人を失ったが、多くの新しい友人と古い友人が助けてくれた。

それは私が、「もう僕はダメだよ」と泣いていたり、ギャンブルや薬に依存もせず、「まだ負けない」と挑戦を続けていたからだと思っている。何しろボルダリングで足首の靭帯を断絶したトラウマがあるジムの、その壁に登りに行くのだ。

ある女性のクライマーから「里中さん、よく大ケガしたジムに行くよね。怖くないの？」と驚かれたものだ。「怖いけど、まあ、あの壁は面白いし、怖いときは無理しないよ」と正直に言った。疲れてくるとやはり怖いものだ。

これは、「誹謗中傷には勝てない」と断言した私が、実は勝ったという話だ。

「この男は死なない」と彼らに恐怖心を与えたと自負している。それは高校生の息子が知っている。「お父さんの生命力、半端ないよ」と苦笑いしている。

中傷をスルーして「大丈夫だ」という作戦は、私には有効ではなかった。「俺は不死身だよ」という作戦のほうが有効だった。ゾンビみたいな男である。

強くなろうと決めた

「この子は長生きしない」

今の時代は、「男は強い」と言うと男尊女卑になり、強さを主張できる男は前項の冒頭に出てきた格闘技選手限定のようになっている。

しかし、私のような強さを見せることは、誹謗中傷だけではなく、パワハラなどにも、何でも「セクハラ」という女にも、暴れているおっさんにも有効だ。

先日もカフェで女性客に絡んでやめないおじさんがいて、私は本を読んでいたから、「読書中なんだが」と、ゆっくりと立ち上がった。それだけで、おっさんは逃げていった。本はダーウィンの『人間の由来』。

オーラがあるのだと思う。何しろ、「ああ、今、死ぬんだな」と思ったことが百回

くらいあり、「あれ？　もしかしたら死ぬのかな」は三千回はある男だから、おっさんが暴れていても脈拍は上がらないし、ため息しか出てこない。

私は「この子は長生きしない」と言われていた子供だった。そして実際に何度も倒れたりケガをしたりトラブルで殺されかけたりしながら、死をかわしてきた。

誹謗中傷の地獄を含め、私が見てきた地獄は数え切れない。一冊の本にまとめたら「不幸自慢」と叩かれると思う。恥ずかしくて書けないこともある。

バイクで横転したときは、路面に叩きつけられた私の後ろから、なんと車が迫ってくるではないか。ギリギリ避けたが、私はガードレールの奥の林にある自分のバイクの近くまで転がっていた。自分からそこに向かったのだ。運転手はそのまま行ってしまった。

気がついたら、膝から大量に出血していたが、そのまま帰宅。母親がびっくりして、手当をしてくれるのかと思ったら、「ジーパン、破れたやん」と言った。

「ヘルメットにヒビが入ってる。ヘルメットがなかったら死んでた」
「ヘルメット、もう買えんで」
「そういう問題か」

こんな家庭で育った。ただ、内臓に何か異変があったらいけないということで、病院には連れていってくれた。それ以外は、「病は気から」、ケガは仕方ないという親だった。

その両親、特に主婦だった母との口論は、中学時代の私にはきつかった。「病は気から」を繰り返す母との確執だ。私が後に誹謗中傷のストレスで倒れたことで、母が正しかったと言えるが、子供の私には本当に辛かった。

なので、実は中一のときに家出をしている。「鉄道旅行をしてくる」と告げていたので、行方不明になったわけではないが、寝泊りは無人駅のベンチ。途中、小学生の頃の友人と合流して、今はない東北の駅にも泊まった。

どこかの駅の階段から飛び降りたときに（列車が発車間際だったから）、なんと足首を骨折。なのにそのまま家出旅行を続けたため、今でも梅雨時になるとその後遺症が出る。ボルダリングで靭帯断裂した箇所がその近くだから、痛みや違和感が出たら「どっちの後遺症かわからん」と笑いながら、ボルダリングの壁を登っている。

アナフィラキシーショックが起きたこともあったから、「今、死ぬかもしれない」は大げさではないと思う。初めてバファリンを飲んだときに全身が真っ赤に腫れた。それがアナフィラキシーショックだと知らずに、ホテルの部屋でじっと耐えていたら、ホテルマンがびっくりして、「早く病院に行ったほうがいい」と叫んだ。

泣いたのは最初だけだった

これくらいのケガを経験している人も、病気をしてきた人も、たくさんいるだろう。だが、**苦難のときに孤独であることが、その人を強くする。**また、薬物などに依存していたか、していなかったかでも大きく違う。

「病は気から」は、母親だけではなく教師にも友人も言われた。そのときの店や教室も思い出せるほどの屈辱で、「どうしろって言うんだよ」と部屋の壁を蹴っていた。

泣いたのは最初だけで、考えて、考えて、決めた。


「自分に自信を持たせよう」

「才能を磨こう。天才みたいになりたい」

「ケンカに強くなろう」

「本をたくさん読もう」

「変わった職業に就こう」


自分のことだけではない。


「差別されている人と仲良くしよう。目の前で虐められていたら助けよう」

「女性は命懸けで守ろう」

「嘘はつかないようにしよう」

「人に優しくなろう」

「動物と仲良くなりたい」

それから私の人生は、大いに好転した。二十歳前からずっと彼女がいる生活にもなった。女をとっかえひっかえではなく、長く付き合った。仕事は、書く仕事か写真かで迷って書くほうを選び、それが過激な自己啓発（自分では無意識）だったため、誹謗中傷が増えてしまった。

好きな人と好きなものをずっと見ていたい

そして今、私は新型コロナ禍のストレスと戦っている。

自民党の故・中川昭一が好きで生粋（きっすい）の保守だった私は、東京五輪決行に終戦時の日本の姿が見え、日本への愛国心をなくした。反日にはならないが、まるで三十年以上愛した女を嫌いになってしまったようなこの感覚は、私にさまざまな意欲、欲望を失わせてしまった。

愛していた自国が、新たなストレスの原因になってしまった。

そのストレスは、私の生命力の源である「睡眠」を阻害するようになった。

実は私は睡眠薬が不要なくらい、よく眠れる。電車や飛行機では眠れないが、部屋やホテルではぐっすりだ。ところが、朝、耳鳴りがするようになった。二〇二一年一月からだ。耳には異常がなく、ストレスだとわかった。

「新型コロナはただの風邪だ」と喚く著名人が金儲けをしている。一方で、私は叔母さんの葬式にも行けず、親にも一年以上会えていない。会わなければいけない人が、よく考えたら重い基礎疾患がある人だったということもある。新型コロナ対策をしながら、誰かに会いに行ったら、先方が対策する気がなかったり、まさに路上で飲んでいる人たちがいたりした。

緊急事態宣言が出ると、個人コンサルはキャンセルされるか、来なくなった。写真の仕事がうまくいきかけたが、マスクをしているモデルさんとコミュニケーションがうまく取れない。

やっと専属になってくれそうなモデルさんを見つけたら、小池都知事が都県境を「跨ぐな」と、昔に長州力さんが大仁田厚さんに放った名言を使うもんだから、もうお手上げで、ストレスはマックスになった。

お金をかけたインスタの写真はクレームで頓挫し、車も売却することになってしまった。

すると、朝、耳鳴りと耳の痛みに起こされるようになってしまったのだ。睡眠は取れているが、朝になったら、恋人に殴って起こされるような感覚だ。

気持ち良いものではなく、やはり昼頃になると今までになかった眠気に襲われるようになった。それも抗鬱剤のようなもので治ると思うが、それが飲めないから、この巨悪との闘いに、私は負けると思っている。

昔から、私はこれだけは言っていた。「国家権力には勝てない」と。

その国家権力が、私の体を狂わせてしまった。せっかく治った体を。

「まさか税金以外に、国が攻撃してくるとは」

私は別れた女性を憎んだことはない。しかし、菅政権と小池都知事への憎しみは、しばらくは消えないだろう。

この攻撃をかわすには、海外に移住、または賃貸を借りるなどして、極力日本国内にいないことしか、私にはアイデアが浮かばない。しかし、新型コロナが変異を繰り返したら、それも困難だろう。

だから、好きな人とものをじっと見ていようと思う。

映画『るろうに剣心　最終章』が早くブルーレイ化してほしいな。畑仕事をしている剣心と雪代巴を４Ｋテレビでずっと観ていたい。

こっそり頑張れば夢は叶う

二十年以上、本を出し続けている

マスターズで松山英樹が優勝した。ゴルフを知らない人はどんな偉業かわからないと思う。サッカーのワールドカップ同様、男子の日本人選手が太刀打ちできなかったのが、ゴルフ四大メジャー大会。その中で最も名誉があるのがマスターズなのだ。

松山英樹選手は、**努力すれば頂点に立てることを教えてくれた**。

テレビに出ているおばさんが「男の子も頑張ればできるのね」と、バカにするように言っている。日本の男子スポーツの成績が女子よりも劣るのは歴史的な問題で、「女が強いのよ」と言う短絡的なフェミの相手はしないことだ。現に、歴史のある柔道は男子も強い。故・古賀稔彦（としひこ）選手のような男がたくさんいたのだ。

ほかのスポーツは体格差もあり、歴史の違いもあり、太刀打ちできないのである。ゴルフは飛距離が出ないと、アメリカのコースでも全英オープンでも勝てない。タイガー・ウッズは、あの体格、そして努力と才能で勝ち続けた。日本のゴルフ場は基本的に「社長さんを接待するためのコース設計」になっているから易しい。そこで少年時代から練習をしていても、アメリカのコースに対応できないのだ。しかも体格も小さい。つまり、日本はゴルフ後進国ということだ。だから松山英樹の優勝は偉業であり、あなたたち若者でもそんな偉業を達成できる夢が出来た。

私事だが、ある日、読者にこんなことを言われた。

「先生のすごいところは、二十年以上、本を出し続けていることですよ」

「?」

その若者は作家になりたいという相談で私のところに来ていた。例えば、文学賞を取ってもすぐに消えてしまう作家はいっぱいいる。ノンフィクションや自己啓発でもそうだ。私は、物書きになってから何周年と口にしたことはないが、数えてみると二十五周年だと思う。本書が出る頃には二十六周年。その間、自費出版は一冊だけである。

サラリーマンとして成功した夫を持つ私の母親は、作家志望の私を批判していた。

「サラリーマンならずっと生活が安定している」という持論を曲げない。

ところが、**物書きになったバカ息子が、なんと二十年以上、出版を続けているのだ**。六年前に大病を患うまでは、ぐうの音も出なかったはずだ。さいたま市にプチ豪邸も建てたのだから。

その病気で入院、リハビリのときに、母が「サラリーマンだったら保障があったのに」と言ったことに対して、初めて嫁が激怒した。

「いい加減にしてよ。サラリーマン、サラリーマンってうるさい！」

滅多に本気では怒らない女性なので、相当ブチ切れたのだろう。私がいちばん嬉しかったことだ。

私は人に言わず努力を続けてきた

私の人生は、常に奇病との闘いだった。難病というほどではない。「大したことじゃない」と言い続け、なぜか運動神経はあるから活発に動いては、その奇病にやられて倒れた。二十代の頃には過労死寸前になったこともあった。

そのたびに、女性たちが助けてくれた人生だ。別れた女たちを憎んでいることはないと書いているのは、そのためだ。本書が百万部売れたら、全員に一千万円ずつ渡してもいい。といっても愛し合った女性（真偽は相手に聞かないとわからないから、愛し合っていたかは未確認）は三人から五人くらいしかいないから、多分、印税は余ると思う。

その間、私は努力をしてきた。人には言っていない。独学なのだ。

私の文章、写真の撮影技術、コミュニケーション能力、知識……すべて独学で、時間を見つけては勉強してきた。

私が車の安全装置の進歩に喜んでいるのは、一人で運転しているときに執筆のネタを考えたり、誰かに聞いた知らない情報を調べたりするために、スマホをいじるからである。渋滞などで停まったときだ。ながら運転はしていない。今では前の車が発進すると警報が鳴る車があって、スマホをいじっていても気づくことができる。自動で動き出す車もある。

政治家の偉い先生たちから見て、愚民の極みのような私でさえ、こうしてこっそりと努力し、才能を磨いていれば成功するのだ。さすがの総理大臣も、私がトイレの中で『日経サイエンス』を読んでいることも、脱いだらすごいことも知らないだろう。ここは笑うところだ。

ボルダリングのジムに行けなくなるまでは（新型コロナで自粛した）、腹筋は割れていた。それも決死の努力。手術で腹を切った五十代の男が、傾斜のきついボルダリングの三級を登っているのだ。たまに二級、一級もチャレンジする。

一度、わざと追い込んだ後、帰宅してベッドに横になっていて、トイレに行こうとしたら、天井が揺れるほどフラフラしたことがあった。仕方ないからトイレまで四つん這いで行った。


「筋肉を維持するため」

「人には寿命があるから好きなことはしておく」

「人には寿命があるから納得するまではやっておく」

「若さを維持する」

「限界はあるが、限界までやってみる」

「才能不足なんてない。できないのは努力不足か、才能がまったく発揮できないことにチャレンジしているから」


こうした考え方が私にはある。

最後のことで言うと、私は「相対性理論」などの分野が超苦手だ。数学なども。それは子供の頃からわかっていた。映画『ビューティフル・マインド』を観てもぽかんとしている。

日本の多様性を利用して才能は開花させる

あなたたちに何が言いたいのか。

どんなに日本という国家がプラトンらが理想とした政治からかけ離れたバカでも、**あなたがこっそりと頑張っていれば夢は叶うのだ**。

今、中国の若者たちの間で「何を頑張っても無駄。お金持ちにもなれないし、すべて政府に奪われる」という病が流行っている。日本語で「寝そべり族」というらしい。日本はそこまではひどくはない。

私の子供の頃からの話をもっとしようか。もう、めちゃくちゃ過ぎるほどだ。なのに、年間五千万円近くを印税で稼いだこともあった。印税は悪徳収入ではなく、常識的な収入だ。

アメリカに行ったときに、アメリカの学生から声を掛けられて、英語で「日本は多様性があっていいね」というニュアンスのことを言われた。私のスマホが富士通製だったからだ。「ソニーだけじゃないし、アップルだけじゃないんだね」と。

「そう、車ならトヨタ、ホンダ、スバル、インフィニティ……」

「ワオ」

さまざまな偉人たち、つまり個人が自ら努力して、新しいものをつくってきた。結果、移民はいないが、多様性のある国になった。政府が頑張ってきたわけではないのだ。

その多様性を利用すれば、あなたの才能は開花する。

さっき、私は「嫁」という言葉を使った。別項でも触れたが、これもNGらしい。言葉狩りもここまでくると狂気だが、アメリカではすでに「woman」だけでなく、「man」が消えつつある。「black」もなくなったら、根本から言語を変えないと会話が困難になってくる。

日本はまだ、「お嫁さんになりたい」「花嫁」という言葉を残したいと思っている女性もいる、楽しい国だ。

百年後はわからないが、まだ五十年くらいは多様性で楽しめる。あなたが自分の個性と持論を確立し、それを認めてくれる人と出会えば、人生は大いに楽しめる。

人のために生きる人に学ぶ

生きた証を残したモーツァルト

われわれは、ヒトとしての原理では種族保存を目的に生まれてきた。そこから進化して人間となり、種族保存のためだけに生まれてきたことに不満を抱くようになった。

最初は「殺人」だったようだが、まずセックスに「快楽」「宗教」を取り入れ、社会を構築し、女には「羞恥（しゅうち）」を与えた。

社会では、階級をつくり複雑な勝ち負けを決定させ、社会生活の中での悪徳では、敵の人間を殺すことにも快楽を見出してきた。やはりそちらが始まりか。大半が宗教的な問題での殺戮（さつりく）だが、恋愛の略奪などでも平気で敵を殺してきた。

一方で、**「え？ その生き方で何か得なことや快楽があるの？」という正義や愛や自己犠牲に人生を費やした人物もいる。**

偉大なその人間たちと同じことは、凡庸な私たちにはできない。先に触れた名作映画『アマデウス』では、あのサリエリさえも、「私も君たちも凡庸だ」と自虐しながら、天才モーツァルトへの劣等感をあらわにしていた。

そのモーツァルトにしても、「作曲家、音楽家」として生まれてきたのだと思うが、本人は三十五歳で病死して、そのときに妻は別荘にいた。サリエリらに仕事の妨害などをされていて、恐らく三十五年間のうちの二十年は順調にいかない不遇な人生で終わっている。

自身はそれを皮肉ったのか、「私は天才ではなく、努力してきた。音楽には長い時間がかかる」と言っている。父親に天才だと言われ、子供の頃から見世物のようにされながら欧州を巡り、就職活動をしていたものだ。父親は息子の才能を自慢し、ピアニストにしたかったのだろう。

余談だが、同世代にマリー・アントワネット、ゲーテらがいるすごい時代だ。

苦悩しながら亡くなったが、『アマデウス』やほかの伝記にある死の直前の出来事が本当なら、彼は「人々を楽しませるために生まれてきた音楽家」だと結論を付けられる。

『アマデウス』では、モーツァルトはオペラ『魔笛』の舞台公演で倒れた。最高傑作と言われている舞台を心配しながら息を引き取った。数々の名曲はもちろん伝説だろうが、**最後まで音楽に命を懸けていたことが人々の記憶に残り、生きた証になったのだ。**

モーツァルト含め、この項で紹介する偉人たちの人生からは、こんなことを学べる。

- 中途半端はいけない
- ぶれない。信念を曲げない
- 努力し、やり遂げる
- 限界に挑戦したことを残す。長く同じ仕事を続ける

- 一度は懸命に愛した人がいる（相手が悪妻、ファムファタル、ダメ男、同性などに関係なく）

マンデラは「ノーベル賞が欲しい」と思ったのか

皆さんは、ネルソン・マンデラを知っていると思う。アメリカのアンケートで「世界の大統領は誰がいい？」という、ちょっと冗談めかした調査をしたらしいが、ケネディではなく、他国のマンデラが一位だったらしい。

アパルトヘイトと戦った南アフリカの大統領だ。

彼も人間の男。結婚は三度しているし、平和主義と宣言しながら、武装したこともある。だが、私が驚いているのは、一九六二年（四十六歳）に国家反逆罪で投獄され、**三十年弱もの間、獄中生活をさせられたのに、牢屋から出てきたら、また同じ活動をしたこと**だ。

国家反逆罪といっても、「人種差別をやめよう」ということだ。南アフリカはとにかく狂っていた。映画『遠い夜明け』などを観ればわかる。今でも、名残は強く残っていて、日本人が迂闊に遊びに行ってはいけない。

例えば、私なら、結婚制度のある部分に疑問を持っているから、それらの何かに反対して、三十年間近くも刑務所に入れられたら、出所後は楽に暮らそうと考えると思う。同じ活動をしてまたひどい目に遭ったら嫌である。しかも投獄だ。ちょっと殴られたわけではないのだ。

マンデラは、その後、ノーベル平和賞を得ているが、ノーベル平和賞の中では、最も正当な受賞の一つだと思う。南アフリカの人種差別が消滅したわけではないが、それは日本でも自殺がなくならないのと同じで、ゼロにするのは不可能。その民族の遺伝子は消せない。

マンデラは、「俺はノーベル平和賞が欲しい」と獄中、思いながら生きていたのだろうか。

そんなわけはないのだ。彼は、南アフリカの人種差別をなくすために生まれてきて、少しは男性の本能で女もやったしケンカもしたが、その政治思想の信念を変えず、努力し、命を懸けてきた。だから、その活動中も多くの人たちに愛され、助けられてきた。

そう、**新型コロナ禍で、誰かに助けられている人は、マンデラのような人物だと断言する。**彼ほど偉大なことをしなくていいのだ。できるはずもない。しかし、信念を曲げず、挫けない姿を見せ続け、もちろん利発で、多くの人に敬愛されていたら、その中の誰かが助けてくれるのである。

最後のコインをホームレスに渡したワイルド

私が好きなオスカー・ワイルドもマンデラと似た生涯を送っている。世界的な活躍をしたとは言えないからか、名前を知らない人は多い。『幸福な王子』『サロメ』『ドリアン・グレイの肖像』など傑作を残している。「え？　幸福の王子の絵本の人？」とびっくりした人も多いと思う。

波乱万丈の人生の途中、国家にやられ、投獄されている。成功し名声を得ていたときに、下流階級の人たちと遊んだり、下品な権力者に反抗したりしていて、同性愛の罪で逮捕された。芸術、美を愛し、恋愛が好きで人種差別が嫌いで、当時の英国の上流階級が超優遇されていることに嫌気が差していた。

彼はもちろん、上流階級の人たちと交流していた。しかし、そのパーティが終わると、その足で、日本で言うなら渋谷のような街に繰り出し、お金のない若者たちと遊んだ。それで逮捕された。

そして投獄生活が終わった後も、同じようにしようとしていた。ワイルドを見かけたホームレスが、「お金をくれ」と言ったら、もうお金がないワイルドは、ポケットにあった最後のコインを渡したという。

その後、病に倒れてイギリスに文句を言いながら亡くなった。ここが彼らしい。とにかくウィットに富んだ言葉を作る男だったが、遺言が「私が死んでもイギリスは困らない。ふざけんな」みたいな言葉だったらしい。

上流階級の連中に反抗したオスカー・ワイルド。**冷静に皮肉を言えば言うほど彼らに軽蔑され、時には命を狙われた。なのに、善は上流階級の人間のものになった。**裁判は弁護士も含めて全員グルで、投獄することが「冷静で知性的で偉い」ということだった。それが覆ったのが、彼が死んでから百年後だ。

同性愛の罪で投獄していた事実に困ったイギリスがワイルドの銅像を建てたのだから、結果的には素晴らしい人生だったと言える。

命懸けでユダヤ人を助けたシンドラー

最後にもう一人、変わった男を紹介する。

オスカー・シンドラーだ。

彼もまた、「この男は何のために生まれてきたのか」というくらい、自己犠牲を貫いた。

最初は、男性的に快楽主義。若い女が大好きで、お金儲けしか興味がなかった。「恋愛好き」というのは、天才、英雄、偉人に多いものだ（同性愛を含む）。

ナチ党員でありながらユダヤ人を助けるなんてとんでもない反逆罪で、ばれたら死刑かもしれないほどだ。あの、アーモン・ゲートと一緒にいたくらいなのだから。

それを賄賂で切り抜けて、なぜユダヤ人に感情移入したのか。

それははっきりと言って「謎」だ。

本人の本質的なことか、ユダヤ人の女子の中にもかわいい女性がいっぱいいたからか（だけど、当時のドイツではユダヤ人は人間として扱われていなかった）、それはわからない。ただ、彼は名を遺したし、多くのユダヤ人たちに愛されている、今でも。

「工場で働くユダヤ人たちだけでも助ける」と決めたのだろう。

それをやり遂げたのだ。

命懸けで。

あなたがそこまで大きなことをする必要はない。だが、**あなたにも名を残すことができる。家族や友人たちに敬愛されることができる。**

名前を挙げたモーツァルト、マンデラ、ワイルド、シンドラーらには共通点がある。

・努力していた
・知識か才能があった
・信念を曲げなかった

「努力なんかする奴はバカ」という言葉は、「新型コロナはただの風邪」と一緒に消えている。努力しないとわれわれは生きていけなくなった。その努力の中に「徳を積む」というのもあるのだ。

私は映画『るろうに剣心　最終章』を映画館で観るために、雨が降る夜までじっと待っていた。密になる混雑時に観に行かずに我慢したが、そんなことは大した努力でもないのだ。簡単だ。ほかのさまざまな努力も、あなたたちが嫌っているほど過酷でも何でもない。

私も努力を怠ったことが多々ある。その頃の日本は平和だった。借金大国だが、テロもなく、疫病もなく、病院は安定していた。もう、そんな日本には戻らない。

今から、「努力」「知識・才能を磨く」を始めたほうがいい。

凡庸な連中の仲間入りをしないでほしい

曲げない信念を持て

私は今、新型コロナ禍の中どう生きればいいのか、もし、新型コロナなどで突然死ぬことになったら、そのときに後悔しないためにはどうしたいいのか、説いているのだ。

曲げない信念はあるか。

あなたに。

私にはある。

執筆活動は二十年以上継続して、放り出していない。古いタイプと言われるが、「男は女子供を守るもの」という信念が少年時代から続いている。私も女性に助けられている。だから、余計に守りたいし、助けたい。それを「古い」とか「女をバカにしている」という輩は、偽善者か助けてもらうばかりの人生を目指しているのだ。

実は、動物も愛して守っている。動物愛護の活動はしていないが、絶滅危惧動物を見るために旅行しているし、絶滅した動物を勝手に探しに山奥に入ったこともある。八匹飼っていた猫は、拾ってきた子ばかり。秩父と紀伊半島によく行くのは、ニホンオオカミの名残があるからだ。

オオカミを信仰したと思ったら、急に殺しまくった人間様。狂犬病が怖かったのか。だったら、それは強者がやることでも、優秀な人間様がやることではない。**頭が悪い弱者が狂暴になっただけだ。「対策は殺すこと」などサイコパスと同じだ。**

私たちは、なんとか自力で生きなければいけない。しかも、楽しく。そのために信念が必要なのだ。

完璧じゃなくていい。先に出てきた偉人たちがしたことを、当時の人たちすべてが喜んでいたのではない。

モーツァルトにはサリエリという敵がいたし、嫌っている人たちもいた。しかし、それは一部で、多くの人たちを楽しませた。ワイルドなど、「誰に迷惑を掛けたのか」というくらい、ただ戯曲や詩や小説を書きながら遊んでいただけである。ワイルドの下流階級の人たちとの交流で、誰かがバタバタ死んだわけでもないのだ。

大勢の他人に迷惑を掛けないことで、人生は良くなる。生き方の極意の中に加えておく。

限界まで生きて楽しみたい

私の話で恐縮だが、愛知県にある新城（しんしろ）によく行く。和歌山にも愛着があり（昔からよく行っている）、埼玉、東京、愛知、岐阜、京都、三重、奈良、和歌山。このルートは私の王道だった。埼玉県から首都高に入り、新東名高速道路の新城ＩＣで降りて、ある用事を済ませながら休憩。新城の旅館に泊まることもある。愛知県には私の熱心な読者の人がいて、その人にも会える。

その後、岐阜の友人の所に行く。その彼が車を売ってくれた。彼は飛騨牛（ひだぎゅう）をごちそうしてくれる。奥さんは典型的な美人妻で、彼は仕事もでき、友人として誇らしい。岐阜には、偶然知り会った写真のモデルさんもいる。

岐阜市内から三重県にある私の実家までが近い。場所は、京都に近い伊賀。地図上では北（上）のほうだ。そこに高齢の父と母がいる。岐阜に親戚もいる。

そうして実家から、熊野（くまの）を目指して車で行く。ニホンオオカミの名残を感じながら、自然と触れ合う。和歌山でラーメンを食べる。

岐阜、愛知、三重、和歌山、奈良。この辺りに行かないといけない用事が本当はいっぱいあるのだ。それが、新型コロナで九割、行けなくなった。

岐阜県は新型コロナにやられていなかったのに、ゴールデン・ウィークに長良川でバーベキューをした連中が大勢いて、クラスターが発生。途端に蔓延した。

五月に岐阜に行く予定があった私は、宿泊先のホテルが休業になってしまったために、愕然（がくぜん）とした。私が通うボルダリングジムのスタッフの女性が、長良川の上流にある美味しい鮎の店をスマホで見せてくれた直後に、宿泊予定の旅館から電話が入った。「新型コロナで休業になりました」と。

その旅館の目の前がバーベキューの場所だ。私が三月に岐阜に行ったときも、若者たちが施設内のレストランで飲んで騒いでいて、もちろんノーマスク。私が店員を呼んで「あれを注意しないのか」と、名刺代わりに私の本を見せて怒った場所だった。

いつもの武勇伝だが、見て見ぬふりをする男たちが好きな女子は、そのうちに痛い目に遭う。彼氏がトラブルで逮捕されるのではなく、あなたがケガをしたり殺されたりするということだ。

それにしてもその場所は、本当に若者が騒ぐ唯一の開放的な溜まり場になっていた。ゴールデン・ウィークの前に、行政が立ち入り禁止にできなかったのかと思う。

そして彼ら彼女らの迷惑行為が、私だけではなく、岐阜に行こうと思っていた人たち、そしてホテル、旅館などに大損害を与えた。

私は、そう、安倍政権時代から一年間自粛し、感染対策の努力をしてきた。それをクレームとバーベキュー騒ぎに潰された。

だけど、私は挫けない。

デジタル一眼レフが進化していて、しかもエコだと気づいた私は、「写真をまたやる」と二年前に決めた。決めたらやめない。結果はともかく努力してやり遂げる。本書もそうだし、note に書いている小説もそうだし、ボルダリングもそう。限界までやり続ける。

私は六年前に大病で入院しているが、どうでもいいのだ。限界まで生きて、楽しみたい。**そのためのさまざまな信念を曲げない。**

ただ、時間を奪われるのは困る。私の時間を奪うのは、「平気で他人に迷惑を掛けている人たち」からの攻撃とずっと決まっている。クレーマーもそうだ。あなたは、その凡庸な連中の仲間入りをしてはいけない。

あなたなりの優しさを与えればいい

人の本質は変わらない

あなたが、お金のことしか頭にない人間で、それで周囲の人たちの信頼を失ったり、騙したりしていたとする。それが治ることはない。もし、資本主義社会でなければ、男なら物々交換の利益を追求し、女性なら体を使った関係を大いに利用すると思う。

自分の夢、野心を叶えるために他人からお金を得ようとすることを主眼とする本質は醜い。その他人に誠意を見せていれば問題はないが、大半はそうではない。私にも欲望はあり、お金を儲けようと頑張るが、他人を騙すことはしないし、嘘もつかない。

もっとも、嘘は言わずに本当のことを言っても、お金を取られたほうは怒るものだ。

里中「一緒にビジネスをしたお礼に、何度もキャバクラに連れて行った」
A氏「何度も行ってない」
里中「だけど俺の名前を使ってキャバ嬢とやったじゃないか」
A氏「それはそれ、行ったのは二回くらいだ。もっと誠意を見せろ」

相手も打算的に私と付き合うのが目的だったのである。

とにかく嘘を言ったり、黙っていたりするのは良くないし、相手とのトラブルは避けられる確率が上がる。

しかし**あなたの本質は、「人を騙してでもお金が欲しい。犯罪じゃなければかまわない」だ。それは生まれつきで、変えることができない。**残念だが、そういう生き方でなんとか快楽で相手を楽しませるしかない。幸せにはなれない。

人をこっそり助けてきた

私がこれまでにしてきた悪徳は、最終項になるここではあまり書かないが、善徳に関しては、「友人知人をこっそりと助けてきた」である。ここに書いたらこっそりにならなくなるが、「里中先生のファンです」という女優さん、俳優さん、アイドル、芸人、音楽家、画家、自営業の方たちなどのイベントや店にこっそりと行っていた。

「お客さんが来なくて困っている」という情報が入ったら、迷わず行くのだ。

「新型コロナ禍で困っている」と言っていた芸能人の友人、知り合いの配信チケットも買っている。こちらもそんなに余裕はないが、「五千円くらいなら、競馬の単複で取り返せるし」と思いながら買う。

友人女子たちや息子に、「頭がおかしいんじゃないの?」と言われたのが、別れた女にこっそりとお金を渡したりしていたこと。渡し方はさまざまだが、相手が気づいてないのもきっと多い。

慰謝料ではない。例えば裏切った女や騙した女がいたとする。あくまでも事例で、恋愛に裏切りはない。「裏切り」はビジネス用語、政治用語、戦争用語だと思っている。私から積極的にお金なんか渡さないが、何かの手違いでその女性の税金の納付書が私の家に届く。住所変更の手続きが遅れたとか、そんなところだ。それを破棄しないで私が払っておく、ということだ。これは例えでしかなく、いなくなった女の税金をこっそりと肩代わりしたことない。

先の項で「危機管理能力」について書いたが、あれもこっそりすることが多い。セックスの後、気持ち良くて寝てしまった女性を、こちらは起きていてこっそりと見ているというのはよくやっている。

喉が枯れるほど声を上げた女性なら、突然起きて水を飲みたがることがあるし、翌朝起きられなくて会社に遅刻、という事態もある。それを避けるために朝まで起きている。こちらはフリーランスだからできるのだが。

私にとっての「幸せ」の定義

二十代のとき、視覚障害者の施設にアポを取って行き、視覚障害者の方と街で接したときにどうすればいいのか、勝手に勉強させてもらったことがある。「喫茶店ではコップは音を出して置く」など、一日一緒に歩いて教えてもらってきた。

遠くの町の災害ボランティアは余裕がなくてできないが、都内などで白杖を持っている視覚障害者の人は多い。だから、施設に行き、勉強した。

当時、バイトやフリーで若かった私にメリットなどない。生活が苦しい頃で、電車代が逆に負担になった。今、ここに書いて「へえ、里中って案外いい奴なんだな」と思わせるくらいしかメリットもない。

だから、これが私の「本質」ということだ。優しいのかどうかはともかく、他人の命、ケガなどに絡むことに神経質なんだと思う。わりと自分の健康には無頓着になりがちだった。

ストレスが影響していたとはいえ、四十代の頃は結構飲んでいた。その頃のガールフレンドに先日、八年ぶりに会った。

最後に嫌な感じで別れたが、ずっとSNSのフォローが外れていなかった。だけどどこに住んでいるか知らなくて、聞いてみたら私と同じ埼玉県。なんだ、じゃあ、お茶でもするか、と会ってきたが、お互いに、その最後の嫌な話はしなかった。**お互いが、こっそりとそれを口にしなかったのだ。**

ほかにも、別れ際に大ゲンカした元カノと旅先で会ったときも、双方、その話はしなかった。二人共子供がいて、幸せに暮らしている。

あなたたちの幸せの定義は「結婚して夫婦仲良く暮らす」だと思うが、私の中では、**「一度離れた人にまた会える、頼られる。または尊敬されている」**ということだ。

男はどうしたらいいのか。まずは、ネット上で政治の悪口を言ってもいいが、泣き言、愚痴、炎上商法（ユーチューバーに多いやつ）はしないことだ。

この話を、「里中って丸くなった。面白くない奴」と思った男は、お金のことしか頭にない女と遊んでいたらいい。お前が死んだときに、その彼女は「さ、次の男を探そう」とにんまり。それを知らずに、地獄とは言わないまでも、深海のような暗闇でさまよう霊となるだろう。もし、あの世があるなら。

優しさには種類がある

私は、人だけではなく、多くの生き物に守られているから、大ケガ、大病でもまだ生きていると思っている。

少年時代、視力が良かった私は、自転車を漕いでいるときに前方の道に昆虫を見つけた。轢き殺すのを避けるために、ハンドルを切って側溝に突っ込み大ケガをした。今でもその傷が膝に残っている。

猫や昆虫を虐めている友達を注意して嫌われたこともある。当時はたまにいた野良犬が襲い掛かってきたら、蹴り返していたけどね（笑）。

攻撃されたら返すことも本質のようだ。小学生の頃に白くて大きな犬に噛まれたことがあるが、狂犬病のワクチンを接種した飼い犬だったのだろう。トラウマになってなくて、白い大型犬は逆に大好きだから、きっと応戦しちゃったんだと思う。でも噛まれたぞ。

その犬が「あのときはすまん。僕は君を噛んだのに犬が好きなんて」と謝っているのかもしれない。すでにその犬はこの世にいないから、人間に生まれ変わって私を助けているのかもしれないし、飼っていた愛猫たちもそうかもしれないし、今でも踏まないようにしている昆虫たちもそうかもしれない。

と、**根拠のない妄想をしていたら、この大災害の中、少しは強くなれる。**

違うだろうか。安心できることが必要だ。疲れを取ってほしい。

同胞たる人間や動植物を潰してきた人間は、この時代、弱くなっていくのだ。

私には、「命」を守るという本質がある。特に少年時代から女子と子供たちの事故を未然に防いできた。それが大人になって、生活の中の出来事にも反映しているのだ。

こっそりチケットを買うのがそうだ。

ただ、ほかのことでも徹底して優しいかと言うと、そうとも思えない。例えば、攻撃されたら容赦しない性質だ。今、カフェで執筆しているが、もし、刃物を持った男が入店してきて向かって来たら、座っている椅子でぶち殺すと思う。そんな凶悪な人間に黙ってやられるのが美徳なわけがないのだ。日本人は頭がおかしい。

男尊女卑と言われるのもそのせいで、ネット上で攻撃してきた女に容赦しない。もちろん、論破してしまうのである。


セックスと愛をほぼ切り離している。「セックスは快楽。大人のおもちゃを使いながら、妙な愛をベッドの中で欲しがらないでほしい」と恋人に言うから、優しく見えないと思う。私の女への愛情はセックスの前後に徹底して晒している。セックスは気持ち良くてストレス発散になればいい、という感覚で、それがヒトの証明。

だが、私の本質の中に女性を守りたいという癖がある。

ある女子がセックスの前に「胃痛がする」と言った。


「じゅあ、今日はやめよう。ホテル、キャンセルするよ」

「ううん、頑張る」


私には恋人とのこういう会話が何千回とあった。だが、彼女たちは、それに気づいてなかったのか、「セックスだけ」と言って消えた。女子たちがバファリンやロキソニンを何錠飲んだか、こっそりとチェックして体調を気づかってきた私は、「愛がない」と言われて一時、女嫌いになった。しかし今、好きな人がいて、こっそり作戦はもうやめるように、友人にアドバイスされた。

あなたが本質的に持っている優しさは、私が持っているそれとは違うかもしれない。**その、あなたなりの優しさを与え続けていたらいいのだ。あなたを助けてくれるのは、国でも知事でもなかった。あなたが昔に優しくした誰かなのだ。**

もし、助けてもらえなかったとしても仕方ない。新型コロナ禍では皆が苦しんでいるのだから。だけど、あなたが死んだときに、「邪魔な奴が減った」と、まさに競争化社会の典型的な笑われ方をされなければ、人生はやや成功なのだ。**「幸せ」ではなく、あなたたちが好きな「成功」だ。**

では、幸せとはどうすれば手に入るのか。すでに、幸せとは主観的で、人それぞれに違うと書いた。自分で考えてみてほしい。

里中李生（さとなか・りしょう）

本名：市場充。三重県生まれ。作家、エッセイスト。

20歳の頃に上京し、30歳から写真家、フリーライターを経て作家活動を始める。時代に流されない、物事の本質を突いた辛口な自己啓発論、仕事論、恋愛論を展開する。「強い男論」「優しい女性論」を一貫して書き続け、タブーにチャレンジするその姿勢は、男女問わず幅広い層から熱狂的な支持を得ている。

ベストセラーやロングセラー多数。著書の累計は270万部を超えている。代表作に『一流の男、二流の男』『男は一生、好きなことをやれ！』『この「こだわり」が、男を磨く』『男が女に冷めるとき』（以上、三笠書房）、『「孤独」が男を変える』（フォレスト出版）、『男はお金が9割』『一流の男が絶対にしないこと』『男の価値は「行動」で決まる』『大人の男は隠れて遊べ』『成功者は「逆」に考える』『成功する男は女を守る』（以上、総合法令出版）、『「孤独」の読書術』（学研プラス）。web小説『衝撃の片想い』も好評連載中。

私は昨日まで日本を愛していた

2021年10月20日　第1刷発行

著　者　里中李生（りしょう）

ブックデザイン　別府拓（Q.design）
校　正　菅波さえ子
発行人　永田和泉
発行所　株式会社イースト・プレス
〒101-0051東京都千代田区神田神保町2-4-7 久月神田ビル
Tel.03-5213-4700 Fax.03-5213-4701
https://www.eastpress.co.jp
印刷所　中央精版印刷株式会社

ISBN 978-4-7816-2015-2